終末のフール

伊坂幸太郎

集英社文庫

終末のフール

■■■■■■■■

contents

終末のフール

Today is the first day of the rest of your life.

今日という日は残された日々の最初の一日。

——by Charles Dederich

終末のフール

1

そろそろ行くぞ、とベンチから立った。ビニール袋を持ち上げる。中に入った五キロの米が、私の肩と腰を苛《いじ》めるように、重い。

静江《しずえ》は名残惜しそうな顔を見せたものの、すぐに、「そうですね」と腰を上げた。

私たちのいる公園は高台だったので、沈みかけの太陽が仙台の街を照らし、じわじわと赤く滲《にじ》ませていくのが見下ろせた。その赤さが跳ね返り、空を流れていく鱗雲《うろこぐも》に映っている。静江はもっと眺望を楽しんでいたかったのだろうが、私はとうに嫌気が差していた。

「あなた、この公園に来るのも十年ぶりくらいじゃないですか」

「どうだろうな」

二十年前、マンションに引っ越してきたばかりの頃は、それこそ毎週のように訪れた記憶があるが、最近に至っては、ここに公園があることすら忘れてしまっていた。

私たちの住む、この「ヒルズタウン」は、仙台北部の丘を造成して作られた団地で、公園は一番見晴らしの良い場所に設けられている。いわゆる、「売り」のひとつだった。五十メートル四方の敷地を柵《さく》で囲み、砂利を敷き詰めてある。小学生の卒業制作だというトーテムポールが、入り口四ヶ所に一つずつ置かれ、南東の一角には、滑り台であるとか、ブランコであるとか、子供用の遊戯器具が設置されている。中央には桜の木が植えられていた。南方の市街地を眺める恰好《かっこう》で、ベンチが十個も並び、それに座って、景色を楽しむことができる。団地ができたばかりの頃は週末ともなると、ヒルズタウンの住人たちが、ひっきりなしに公園にやってきた。四月の上旬には、一本しかない桜の下を陣取ろうと、大勢の人間が場所を取り合い、衝突も起きたくらいだ。おそらく公園からの眺めや花見のイベントも住宅ローンの一部に含まれていると思い、それで誰もがその元を取ろうと必死だったのではないだろうか。少なくとも、私はそうだった。

その公園も今は、空いている。私たち以外には二組しかいない。犬を連れた女性と、途方に暮れた面持ちで肩を落としてブランコに座る中年男性、その程度だ。静江によればばどちらも、同じマンションの住人のようで、ほらあの男の人は、テレビによく出ていたじゃないですか、とも言ったが、私にはぴんとこなかった。

「アナウンサーですよ。一年くらい前に、一度、家族でどこかへ移動したって聞いたけど、また戻っていたのね」

「今時、どこへ行っても状況は変わらない」私は言い捨て、「さっさと行くぞ」と静江を促した。

「あなた、見て」

夕食の買い物帰りだった。最近は、店で食料品の奪い合いが発生することも、往来で引ったくりが現われることもめっきり減っていたので、静江が一人で買い物に行くのが大半だった。ただそれでも、米などの重い荷物を運ばなければならない場合には、私も付き合った。還暦を過ぎたとはいえ、小柄で小学生のような静江に比べれば、私のほうが力はある。

「何だか、すっかり秋らしいですね」静江は仙台市街地のほうを向き、人差し指を伸ばし、空を掻《か》き回すような仕草をした。てっきり遠くの街並みを指しているのかと思ったが、目新しいものはない。視線を手前に移動して気がついた。とんぼだ。まるで空中をメダカが泳ぐかのように、とんぼが十数匹、飛んでいた。夕日と似た色をしている。音もなく、浮かんでいた。柵の上であるとか看板であるとか、そういうところで羽を休めていたのが、私たちが通り過ぎたことに驚いて、飛び上がったのだろう。

「あと三回しか秋が来ないなんて、信じられないですね」静江が声を落とす。

「馬鹿」私は反射的に言った。「暗くなるようなことを言うな」

「でも、本当じゃないですか」

「おまえみたいな馬鹿は、能天気でいい」

「あなた」静江が困った表情になり、遠慮がちに目を向けてきた。

「何だ」

「康子《やすこ》には、そういう顔を見せないでくださいね。お願いしますよ」彼女の言い方は懇願に近い。

「俺はこういう顔つきなんだ」

「下唇がぬるっと出て、人を馬鹿にしたようになるじゃないですか。目も怖いですし」

「おまえが馬鹿なことを言うからだろうが」

「ですから」いつもの静江であれば、私の言葉に反論などしてこないのだが、今日に限っては粘りを見せた。「せっかく、康子が来るんですから。お願いします。十年ぶりなんですよ」

「自分の娘に気を遣ってどうする、馬鹿」乱暴に答える私にも緊張はあったが、押し隠した。

公園を出ると、細い道路を東へ向かって歩いた。後ろを静江がついてくる。ヒルズタウンは他の住宅地と同様、似たような家屋が建ち並んでいる。網の目状に道路が走っていて、うっかりすると現在位置が分からなくなり、方向感覚も失いがちだ。

「おまえ、あれを覚えてるか?」私は歩みをゆったりとさせ、静江が追いつくのを待ってから、おもむろに訊《たず》ねた。ふいに思い出したのだ。「ここに越してくる前の町もこういう風に方角が分かりづらかったじゃないか。で、子供たちが迷って、うろうろしていた」

「ええ」

「どこかの子供が道順を忘れないようにって、家までの順路を、アスファルトに矢印で描いていただろう？」

「ええ」静江は懐かしそうに、小刻みにうなずいた。「そうしたら、どこの子もそれをやりはじめてしまって、道じゅう、矢印だらけになって、結局、何が何だか分からなくなったんですよね」

「可笑《おか》しかったな、あれは」

静江は顔を動かさなかったが、横目で私を窺《うかが》うようにした。「あなた、忘れたんですか？　あれを最初にやったの、和也《かずや》ですよ」

私は、彼女をまじまじと見つめる。すぐには返事ができなかった。十年前、二十五歳で死んだ長男の名が、ここで出てくるとは予想していなかったため、無防備で、だから不意打ちを食らった。

「あの子が学校から持ってきたチョークで、矢印を描いたんですよ」

「そうだったか」

「あの時、あなたが怒ったんじゃないですか。馬鹿、自分の家の場所くらい覚えろって」

覚えていなかったが、おそらくそうだったのだろう、と想像はできた。当時、電話会社の管理職で気張っていた私は、日々、問題ばかりが発生し、遅々として進まない作業に苛立《いらだ》っていた。部下の手前、泣き言を言うわけにもいかず、自分の能力を不甲斐なく感じていた。おそらくあの時の私は、自分の無能さが息子に受け継がれているのではないか、と怯《おび》え、その反動が冷たさとなって、外に出ていたのだ。

お父さん、兄貴のこととかお母さんのこと、馬鹿だ馬鹿だって馬鹿にしてるけどさ、馬鹿って言う奴が馬鹿なんだって。

ふいに頭に浮かんだのは、康子の言葉だ。いつ言われた台詞《せりふ》か分からないが、口をひん曲げて、わざと不細工な顔を作りながら言ってきた、あの子の姿はしっかりと覚えていた。

兄貴の気持ちとかさ、想像したことあるわけ？　康子はそうも言った。

当時の私は、他人の思いを想像することなど考えもせず、和也の気持ちなど、お構いなしだった。

「道路に矢印を描くの、和也のアイディアだったんですよ」静江はもう一度、念を押すかのように言った。

「それがどうかしたのか」私は自分でも思った以上に、語調を強くする。

「面白いことを思いつく子でしたよね」

和也が死んでからというもの、私たちの間では、息子のことが話題に上ることはほとんどなかったので、戸惑った。「そういえば、最近、おまえはあいつの部屋の掃除をやってるのか」

「ばれてましたか」

「夜中にがさごそやられれば、嫌でも気づく」

「そうですね。すみません」

「そんなことよりも」私は話を変える。「康子は突然、どういうつもりなんだ。十年ぶりに戻ってくるなんて」

静江はかぶりを振る。「あと三年しかないから、一度くらい、顔を見ようとでも思ったんじゃないですか？」

「電話では何か言ってなかったか」

「特に何も」

「何も、って何かは喋《しゃべ》ったんだろうが」

静江の目は、それならばあなたが電話に出ればよかったじゃないですか、と責めてくるようでもあった。「行ってから話す、としか言ってませんでした。あなたに言いたいことがあるんじゃないですか」

「俺に？　この期《ご》に及んで、また、罵《ののし》られるんじゃないだろうな」

「あるかもしれませんね」

「おい」

「嘘ですよ」

2

娘の康子は、子供の頃から成績が良かった。図抜けていて、テストの点数や成績は学年で一番、私の知る限りでは悪くとも二番か三番だった。学力ほどではないにしろ器量も良く、友人も多かった。東京の難関国立大学に現役で合格を果たし、卒業後は国家公務員に採用され、親としてはこれ以上高くならないくらいに、鼻が高かった。

康子は私の自慢であって、それはつまり、「それに引き換え、和也は」という愚痴《ぐち》をたびたび零《こぼ》す要因ともなった。

子供たちが持ち帰ってくる成績表を、和也のものと康子のものを見比べるたび、「失敗作と傑作」という言葉が頭に浮かんだ。私は、和也の持っている弱さや不器用さが、自分から受け継がれたということを認めたくなくて、「たまたまできた失敗作」と思い込みたかったのかもしれない。

和也は、私のその思いに気づいていただろうか。気づいていたに決まっている、ともう一人の自分が答える。嫌だったろうか？　そりゃ嫌だったろう。和也の気持ちを想像するたびに、絶望に、胸を衝《つ》かれる。

康子が、「この家には二度と帰ってこない」と言ったのは、十年前だ。和也の亡くなる二ヶ月前にあたる。

実際、その言葉に嘘はなく、康子はそれ以来、和也の葬儀の時を除けばヒルズタウンはおろか、仙台にも足を踏み入れていない。六年前に盛岡で、私の父、康子にとっては祖父の葬儀の際に顔を合わせたが、私には挨拶もしなかった。

葬式の後、「あなた、康子と話をしたら」と静江が肘《ひじ》で突いてきた。私は譲らなかった。確かに、自分の娘と不仲であるのはつらかったし、言葉を交わしたいのは山々だったが、「あいつが謝ってこないかぎりは、知るか」と答えた。それもまた、本心だった。

私は、自分の人生がまだまだ長い、と信じていた。だから、そのうちに康子のほうから詫《わ》びてくるのではないか、と高をくくっていたところはある。まさかその翌年に、「あと八年の寿命」と言い渡されるとは、思ってもいなかった。それも、「私の寿命」ではなくて「世界の寿命」だったのだから、まったく、物事は私の予想を超えている。

康子が、決別を宣言した時のことを思い出す。三月だ。就職を前にした休みで、仙台へ戻ってきていた時のことだ。

夕飯を食べ終わり、各々が居間でくつろいでいる時に、康子が言った。

「兄貴はさ、もう勉強とかやめて、家を出たほうがいいよ」ノートを開いている和也に言った。今から思えば、康子はそれを言いたいがために、帰省してきたのかもしれない。

「そうか？」和也は当時、地元の私立大学を卒業したものの、就職することもなく、受かるわけのない資格試験の勉強を必死にやっていた。

「兄貴は、頭いいんだから、もっと自由なことやったほうがいいって」

「それは」和也はいつも通りの、穏やかな笑みを浮かべた。「誉《ほ》めると見せかけて、貶《けな》す、というやつか？」

和也には、争いごとが苦手で、穏便に事を運ぶのが最善だと信じている節があり、私はそこがまた、気に入らなかった。私自身にも、そういう性質があるからだ。

「違うって。兄貴はわたしなんかよりもよっぽど頭がいいんだよ」

「おまえより利口な奴が、こんな試験勉強で頭を抱えているわけがないだろ」和也は苦笑し、私は同じ台詞を腹で唱えた。

「そういう頭の良さじゃないんだってば。子供の頃から発想が違うし、それに何よりも」

和也を庇《かば》ったのではない。優秀な妹が兄を気遣っているようで、見ていられなかったのだ。

「康子、いい加減なことを言うな」私はそこで口を挟んだ。

「優しいのと、小心なのとは、紙一重だよ」和也が小声で洩《も》らした。

「何よりも？」


すると康子は厳しい目をして振り返った。「お父さんには死んでも分からないと思うけどね、兄貴はわたしより百倍も頭いいんだってば」

「馬鹿な」私は即座に言い返した。

「お父さんって、頭の良さって何だと思ってるの？　成績とか学歴とか、ステータスだとか、どうせそういうのでしょ。どうせ。そういうのは、わたしが引き受けるから、いいじゃん。馬鹿じゃないの。あのね、お父さんが馬鹿なばっかりに、兄貴は不幸なんだって」まるで、犯罪者を告発するかのように、康子はこちらを指差し、声を荒らげた。

「兄貴はもっと大きいことをやれるんだよ」

和也は狼狽《ろうばい》し、目をきょろきょろさせた。静江は洗い物をやめ、台所から姿を見せた。

私は突然、怒り出した娘に驚いたが、それ以上に腹が立ち、一喝した。「父親のことを馬鹿などと言うな」

「子供の頃から、ずっと我慢してたんだ」康子は呼吸を整えるようにした。そして、興奮を抑え込んだ声で、「ずっと言いたかったんだ」と口を尖《とが》らせた。

「何をだ」

すうっと息を吸った後で、康子が口を開いて、こう言った。

「あなたは、兄貴のすごさを分からない馬鹿だ。馬鹿過ぎ」

「何だと」

「やめろよ、康子」困り果てた顔で、和也が言った。

「和也のどこがすごいんだ、言ってみろ。失敗作じゃない理由を言ってみろ」そこで私はたまらずに大声を出した。娘の言葉に刺され、焦り、腹が立ち、思慮なく叫んでいた。音が響き渡った。サイドボードの上に置いてあった瓶《びん》が割れた。康子が、手近にあった時計を投げたのだ。狙ったのか、たまたまだったのか分からないが、時計は、その前年の秋に、私が会社からもらったワインの瓶に見事に当たった。ワインが血を流すかのように零れる。

「何をするんだ。出て行け」私は怒鳴り、意識するよりも先に、指を玄関に向けていた。

「この家には二度と帰ってこない」康子は静かにそう言って、翌日、東京に帰った。まるで私を哀れむような、そんな目をしていた。

あの時、あんな口論がなかったら、少なくとも私が、「失敗作」という言葉を発しなかったら、二ヶ月後に和也が地下鉄に飛び込むことはなかったのだろうか。今のところ私は、それを誰にも訊《き》けないでいる。

3

右を見ても左を見ても、雨戸を閉め切っている家が目立った。庭の針葉樹が折れたままになっている家もあれば、二階の窓ガラスが割れている家もある。

「滝沢さんの家、先週、出て行ったみたいですよ」私の視線に気づいたのか、静江が横から言った。今、通り過ぎた家の主のことらしい。「関西に息子さんがいるんですって。そこで、三年、暮らすことに決めたらしいですよ」

ふん、と私は鼻で応える。

「この町に、どれくらいの人が残ってるんでしょうね。マンションも半分くらいは、いないみたいですし」

「どうだろうな」

「今日の佐伯さんのところだって」と静江は、米屋の名前を口にした。「今まで意地でつづけてきたけど、そろそろ店じまいをするみたいですよ」

「なら、米はどこで買えばいいんだ」

「かわりにあの、スーパーマーケットが営業を再開するっていう話も聞いたんですけど、でも、どうでしょうね」静江はおしまいのほうは口ごもるように言った。

ふん、と私はまた鼻を鳴らした。

しばらくして静江が突然、明るい声を出した。「そうそう、実はわたし、昨日、夢を見たんですよ」

「夢？」

「ええ、テレビを点《つ》けたら、大統領が映ってるんですよ。衛星中継っていうんですか？」静江はたどたどしく、自信のなさそうな声を出した。「アメリカの大統領が、たくさんのマイクの前で、言ってたんです」

「何をだ」

「『今までのは全部嘘でした』って」

「馬鹿な」私は鼻で笑う。

「『計算をし直したら、小惑星はぶつからないことが分かりました。お騒がせしました』って、大統領が顔を真っ赤にして、ぺこぺこ謝ってたんです」

「おまえは、見る夢も能天気だな」

「大統領が日本語で喋るわけないですもんね」

「馬鹿、そういうことじゃない」それ以上、批判をする気にもならない。静江は、馬鹿という言葉に反応したのか、悲しそうな目を向けてきたが、特に何も言わなかった。

　私たちは押し黙ったまま、しばらく、道を進んだ。通り過ぎる車は一台もなかった。五年前が嘘のようだ。あの頃は、誰も彼もが車に荷物を詰め込んで、逃げ出そうとしていた。どこもかしこもが渋滞で、衝突事故や運転者同士の口論、クラクションの音ばかりだった。小惑星が衝突するのに、どこに逃げようが関係ないはずであるのに、大勢の人間が慌てて、車を走らせた。何もせずにその時を待ってはいられなかったのだろう。その焦燥感は理解できた。車があれば、私もきっと同じようにやったはずだ。

「最近は、ずいぶん落ち着いたものだな」

「そうですね。落ち着くものなんですね」静江の声は暢気《のんき》に聞こえる。「小康《しょうこう》を保っているんですかね」

「小康状態か」

「一時はどうなるかと思いましたけど」静江が疲れ果てた表情を見せた。この五年間に起きたパニックを思い出したのだろう。

　本当に酷《ひど》かった。恐怖と焦りがないまぜになった人々が、あちらこちらで暴れた。商店やデパートは暴徒に襲われ、当然、警察の手には負えなかった。女性に暴行する者や、無闇に人を殺害する者も現われた。このままでは小惑星が衝突するよりも前に、この世の中は終わってしまうのではないか、と皮肉に感じるほどの荒れ方で、よくもまあ生き延びたものだ、と私は自分自身で感心している。それが今年に入り、べつだん、示し合わせたわけでもないのだろうが、急に穏やかになりはじめた。略奪や暴動について厳しく取り締まられることになったのも大きな要因だろうが、それ以上に、たいていの人間が諦《あきら》めはじめたからではないだろうか。恐怖に耐え切れない者はおおかた死んでしまったし、生き残った者たちは、いかに残りの時間を有意義に暮らそうか、と考えはじめたのではないだろうか。下手《へた》に暴れて、射殺されてしまったり、刑務所に入れられたりするのでは意味がない、と気づきはじめた。きっとそうだ。

「その日がもっと近づけば、また、大騒ぎになるでしょうね」

同感だった。これは一時的なものだ。死が近づいてくれば、誰もがまた冷静さを失うだろう。もちろん、私もだ。今は、小康を保っているに過ぎない。

日の落ちるのが早かった。あっという間に周囲が暗くなっている。街のどこかに、明かりを調整する摘《つま》みがあり、それを誰かが一息に左へ回したかのような、そういう具合に、すっと薄暗くなった。まだ、午後の五時半だというのに、だ。角を左へ曲がる。左のブロック塀を乗り越えるようにして、カレーの匂いが漂ってきた。懐かしい気分になる。

「今日はカレーのようだな」私は意識するよりも先に、言った。誰かが日常生活を送っている、という事実に嬉《うれ》しくなる。

「そうなんですね」静江の声も心なしか、弾んでいた。門扉のところに灯籠《とうろう》があった。横の静江の顔が、ぼうっと照らし出される。ずいぶん、老けたものだ、と今さらのように思った。口元の皺《しわ》が以前よりもくっきりと浮き上がり、肌も乾燥している。

「あなた、レンタルビデオを観ませんか？」静江が唐突に言い出した。

米の入ったビニール袋を持ちながら私は、顔をしかめる。「ビデオ？」

「いいじゃないですか」と静江が小声で言った。ねだっているようにも、むくれているようにも聞こえる。「少し前まで、わたし、よく観てたんですよ」

「そういえば、おまえ、時々、能天気にテレビを観ていたな。あれはビデオだったのか」

「寄ってみましょうよ。レンタルビデオのお店があるんです」

「おまえ」私はほとほとうんざりした声で、言ってやる。「今がどういう状況なのか、分かっているのか？」

「状況はいつだって分かっていますよ」

「あと三年しかないのに、何が楽しくて、ビデオなんて観なくちゃいけないんだ」

「でもあなた。康子が来るのは夜遅くなってからですよ」静江は肩をすぼめた。「それまで、何をしてるんですか」

そう訊ねられると、答えられない。

康子は国道をゆっくりと、車でやってくるらしい。出発時刻にもよるが、おそらくマンションに到着するのは、午後十時過ぎになるとのことだった。康子がどういう目的でやってくるのかも分からない状態で、何もせずに待っているのは、正直、落ち着かない。

「だいたい、このご時世に、ビデオ貸しの店などやってるのか」

「ええ、たぶん、開いてますよ。最近はもう、ビデオなんてみんな使ってなくて、他の何とかっていう機械らしいんですけど、でも、うちのすぐ近くに貸してくれるお店、あるんですよ」

私は渋々という表情を作り、うなずく。「仕方がない、行ってみるか」

「ええ」静江が嬉しそうな理由が、私には分からない。

4

店はちょうど、帰り道の途中にあった。マンションからバス停に向かう坂道沿いだから、会社勤めをしている間は毎日のように前を通っていたことになる。それがビデオを貸す店だということも知らなかった。十坪ほどの店舗で、看板の文字はかすれている。

「ああ、ごぶさたしています」店内に足を踏み入れたとたん、レジのカウンターから若い男に声をかけられて、私はたじろいだ。危うく、ビニール袋を落としそうになる。

「お久しぶり」と静江が頭を下げた。

「旦那さんですか？」店員は屈託のない表情で、私を見た。

「こんな時に、映画を観る人間がいるのか？」質問で返した。店内は湿気がある。他に客もいない。私は、袋をカウンター脇の小さな棚に載せる。腕が少し、痺《しび》れていた。

「いないこともない、という感じです」店員は胸に「店長　渡部《わたべ》」という名札を付けていた。薄暗い店内に似合わず、明るい青色の、清潔そうなエプロンをかけている。二十代の半ばというところか。眉《まゆ》が濃く、顎《あご》が細い。目が大きく、童顔ながら、二枚目の部類に入るように思えた。ずいぶん若い店長だ、頼りないな、と私はすぐに思った。

「新作の映画はほとんど、ないですけどね」と彼は肩をすくめた。

「こんな時に、映画を撮る馬鹿はいないだろ」

「いや、監督というのは変な人が多いですから、結構、撮りたがっているみたいですよ。ただ、いかんせん、俳優がいないみたいです。ほとんど、やりたがらないみたいで。それこそ、貯め込んだギャラで、シェルターでも買っているのかもしれないですよ。でも、ヘルツォークとスピルバーグは、撮ってるって聞きましたけど」彼はそこで、自分が饒舌《じょうぜつ》になりはじめたことに気づいたのか、はっとした顔になった。「でも、ビデオを借りていく人は少なからずいるんですよ。何だかんだ言って、みなさん、時間を持て余しているのかもしれないですね」

「なるほど」

少なくとも日本では、大半の人間が働くのをやめていた。老後のためのお金も、ローンのためのお金も不要になったからだ。預金を使って、生活をすればいい。その結果、時間の使い方に困っている者もいるのは確かだろう。どうせ他にすることもないのだからと八百屋を続けている者や、これが生き甲斐だからと漁《りょう》をやめない者もいた。不思議なもので、それぞれがそれぞれの欲求と事情で行動した結果、どうにかバランスが取れていた。生産者は消えず、流通もかろうじて機能している。そして、自分のことしか考えていなかった政治家はそろって辞めてしまい、残っているのは、使命感を持った少数の政治家だけになった。

横を見ると、レジの正面に棚があって、一番上の段に、「地球滅亡を描いた映画たち」と手書きのパネルが貼られてあった。その下に、ビデオのパッケージがいくつも置かれている。

「これは、君が並べたのか？」

「ええ。結構、評判がいいんですよ。こうしてみると、地球滅亡にもいろんなバリエーションがあるんですよね」あっけらかんと彼は微笑《ほほえ》む。

「何が楽しくて、こんなのを観るんだ」

私が説教口調になりはじめたのを察知したせいか、静江が慌てて、「あなた、渡部さんも、うちのマンションに住んでるんですよ」と話題を変えた。「五〇一号室ですよね」

渡部が頭を下げた。「妻と娘と一緒に暮らしています。あとは頑固な親父が一人。山形で一人暮らしをしていたんですけどね、家が焼けちゃったので、呼んだんです」

「焼けたんですか」

「隣の家の火が飛んできて、全焼です。だから、それならこっちで一緒に暮らそうじゃないかってことで」

絶望に耐え切れない者がやけくそになって、他人の家やビルに火を点けることはよくあった。もはや、珍しいことでもない。

「お父さん、喜んでらっしゃるでしょう？」

「どうなんですかね」渡部は弱々しく顔をゆがめた。「古稀《こき》を過ぎても元気で、こっちがまいりますよ。最近はもっぱら、マンションの屋上に櫓《やぐら》を作ってます」

「櫓？」私は、聞き返した。

「梯子《はしご》のついた高い櫓を作ってるんです。材料を車で買ってきて、マンションの屋上で、とんかんとんかん、やってますよ。昔から日曜大工が趣味でしたから、得意なもんです」

「何に使うんです？」

「映画で観たらしいんですよ」渡部はそう言って先ほどの、「地球滅亡」の棚を指差した。「実はそこのビデオの中に、隕石《いんせき》が落ちてくるっていう映画があるんですが」

　まさにそのままじゃないか、と私は憂鬱な気分になる。「それは、最終的には助かるのか？」

「残念ながら」渡部は眉を下げた。「で、その映画だと、隕石がぶつかると、水かさが上がって、洪水が起きるんですよ。街が洪水に襲われるんです」

「ああ、わたしも観たわ」

「親父はどうやら、その洪水に備えて、櫓を作ってるみたいですね」

「櫓だろうが何だろうが、結局は呑み込まれるんだろ」私は訊く。

「ええ。ただ、親父は、みんなが沈むのを眺めていたいらしいんですよ。一番、最後に死ぬつもりなんです。負けず嫌いというか、変に前向きというか」

「面白いお父さんね」静江はそんな相槌《あいづち》を打っている。

「どうなんでしょう」渡部は困惑気味だった。「終末の過ごし方にもいろいろあるんだな、とは思いますけど」

　しばらくして静江が、「じゃあ」と言った。「じゃあ、ちょっと選んじゃいましょうか。あなた、こういう機会ですから、滅多に観ないようなのはどうですか。怖い映画なんて」

　怖い映画、など私は興味もなかったが、そこで渡部が、「そうですね」と口を挟んだ。

「残虐なホラー映画で、人がどんどん殺されるやつなんかはどうですか?」

「人が残酷に殺される映画なんて観て、面白いのか」

「少なくとも」渡部が真顔で言った。「『これに比べれば、隕石のほうがよっぽどマシだ』とは思えるかもしれませんよ」

5

和室のテレビで、静江と並びながらビデオを観た。ひどく騒がしく、内容のない映画だった。アメリカ人夫婦が怒り、喚《わめ》き、騒いでいるだけだ。題名が『壁の中に誰かがいる』となっていたので、てっきり、壁の中に幽霊が見え隠れするような、「いないようでいて、やはり、いる」という雰囲気の映画だとばかり思っていたのだが、まるで違った。物語がはじまったとたん、舞台となる家に、大勢の人間が監禁されていることが分かる。「誰かがいる」どころではなくて、「大勢いる」と言ったほうが近い。

静江も同じ感想を抱いたのか、観終わった後で、「ずいぶんあからさまにいましたねえ」と感心するかのように、呟《つぶや》いた。

「節度も何もあったものではないな」

「ええ」

時計を見るとまだ九時で、康子がやってくるまでには時間があった。

食事は、焼肉の予定だったために、準備の必要がない。野菜、それとカセットコンロはすでにテーブルに並べてある。後は、焼きはじめる時に肉を出して、タレを並べましょうね、と静江は言っていた。賞味期限は切れているけれど、ないよりはマシだ、と判断したようだ。さすがに肉の供給は減っているため、入手するのは難しくなっていたが、それでも解凍された薄切りの牛肉が皿には載っていた。

「もう一本観てみましょうか」静江はビデオ店の袋から、別のテープを取り出す。

「好きにしろ」気は進まなかったが、何もしないよりはよい。

ふと、腹が締めつけられる感覚に気づいた。筋肉が強張《こわば》っているのか、それとも胃が痛いのか。自分が、康子との再会を怖がっているのだと気づく。六年ぶりに娘と会うのだから嬉しいのは間違いなかったが、それ以上に緊張感があった。

「あなた」こちらの強張りに気づいたのか、静江がぼそりと声を出した。小柄な身体《からだ》を精一杯に伸ばし、ビデオデッキにテープを押し込もうとしながら、「康子と仲直りしてやってくださいね」とこちらは見ずに、言った。

ふん、とも、うむ、ともつかない曖昧《あいまい》な返事をする。

「あと三年しかないんですよ」静江がリモコンを触りながら、さらにつづけた。

「おまえに言われないでも、分かってる」実際、私は分かっているつもりだった。今晩、どういうつもりで康子がやってくるのかは想像ができなかったが、これが最後の機会だろうとは思っていた。ただ、と私は不安を感じている。ただ、いったい、どうやればいいのだ？　どう切り出して、何を喋り、どうやって関係を修復すればいいのか、私には分からなかった。というよりも、世の中にその答えを知っている者がいるのだろうか。

映画がはじまる。今度は先ほどのホラー映画とは違い、比較的、オーソドックスな筋立てだった。末期の癌《がん》に侵された主人公が、妻を殺した犯人を見つけ出し、復讐を行う、という内容だった。少々、撃ち合う場面の音がうるさかったのを我慢すれば、それなりに楽しめた。夢中になるほどではなくとも、退屈はしなかった。

「なかなか面白かったですね」静江もビデオテープを巻き戻しながら、感想を言う。

「ああ」と私は短く、返事をした。それから、何も映っていないテレビ画面を見るとはなしに見ながら、「こんな時に、こんな風に、映画を観ているなんて、馬鹿ではないかな」と訊ねた。自分がひどく、愚かなことをしている気になった。

「馬鹿でもいいじゃないですか」

「そうか」

「そうですよ」

「康子のことだが」私は緊張を悟られぬように気をつける。「俺のことが憎くて、小惑星が落ちてくるよりも先に、俺を殺しに来るなんてことはないよな」

「あるかもしれないですね」

「おい」

「嘘ですよ」

6

十時半過ぎに、玄関の呼び鈴が鳴った。ここ何年もの間、我が家を訪問する者がいなかったためか、二人ともその音が何を意味するのか、最初は分からなかった。

「康子ね」静江が顔をほころばせて、立ち上がる。

私の心臓の鼓動が早鐘《はやがね》を打ちはじめている。情けない、と思いつつも、どうすることもできない。深呼吸をすると、その吸い込む息すら震えた。居ずまいを正し、意味もないのに、テーブルの上の食器の位置を変えてみる。冷蔵庫から肉を出したり、皿の向きを変えたり、サラダ油の量を確認したり、と日頃はやらないことばかり、私はやった。

「お父さん、久しぶり」と声がした。

顔を上げると、康子がドアのところに立っていた。外見は、父の葬儀で見かけた六年前と、ほとんど変わっていないように感じられた。いや、あの十年前ともほぼ同じだ。紅葉したもみじのような、秋らしい色の、襟首《えりくび》の開いたシャツを着て、細身の紺色のパンツを穿《は》いていた。確か、今年で三十二になるはずだが、すらりとした身体は二十代にも見える。髪は短くしてあった。肩にもかからないくらいの長さで、活動的な印象がある。

意志が強そうな眉は相変わらずで、黒目がちの瞳が私をちらっと見た。すぐに、視線が逸《そ》らされた。いや、先に逸らしたのは私だ。

私の笑みは引《ひ》き攣《つ》っているだろう。康子の表情も明るいものではなかった。わざわざ会いに来たのだから、もしかすると過去の諍《いさか》いについてはすっかり解消したような笑顔で、現われるのではないか、と期待していたのだが、彼女には明らかに警戒心が漂っていた。お父さんとわたしの間にある軋轢《あつれき》は消えたわけではない、と無言ながらに念を押してくるような、そんな強張りがある。

「本当に久しぶりねえ。康子、元気にしてた？」静江はここ数年見たこともないくらいに、目を輝かせていた。羨《うらや》ましい能天気さ、だ。台所から小皿を抱えてきて、食卓に康子を案内し、自分も腰を下ろした。

「わたしは元気よ。お母さんは？」

「元気よお。あと三年くらいは生きられそう」と静江は微笑んだ。それを聞いて私は舌打ちをし、その音に反応したのか、康子がこちらに目をくれた。くれたが、何も言わず、また静江に話しかける。「三年なんて、実感ないよね。でも、よく無事だったね。仙台も大変だったんじゃない？」

「人間って脆《もろ》いな、って思いましたよ」静江がしみじみと、うなずいた。言いながら手を伸ばし、コンロに点火する。手早く油を引いて、「自分の好きに焼いてね」と野菜や肉を指差し、それから、「何年後かに死ぬ、って分かったとたんに大騒ぎして、われ先に逃げようとしたり、奪い合ったり、怒鳴り合ったりしてね。本当にみんな脆くて、ひどかった。街を歩いている犬のほうが、よほど落ち着いていてね」とこぼした。

「当たり前だろうが。犬はニュースなど観ない」私は苦々しく言う一方で、静江の口から、「人間は脆い」などという表現が飛び出したことに、驚いていた。そんなことを考えていたとは、思ってもいなかった。

しばらく、私たちは焼肉を楽しんだ。無言ではあっても、じゅうじゅう焼ける音と、立ち込める煙で、食卓はそれなりに賑《にぎ》やかに感じられた。

私は頭の中で、発すべき言葉を必死に探していた。聞きたいことならいくらでもある。今まで何をしていたのか、結婚はしているのか、もしそうであるなら子供はいるのか、仕事はどうしているのか、戻ってくる気はないのか。そして何よりも、まだ私のことを怒っているのか？

茶碗に入った飯を最後の一粒まで食べ終わったところで、私は箸《はし》を置き、こっそりと息を吐き出した。十年ぶりに前にする康子は、先ほどからほとんど私と目を合わせない。

ぎこちない空気は息苦しかった。

「それでだ」「それでさ」

ほぼ同時に、康子も言葉を発した。

私たちは顔を見合わせた。ばつが悪い表情を浮かべ、お互いがお互いに、話を譲ろうとする。そして、仕方がないから、自分から喋ろうと口を開くと、これがまた同時に話すこととなってしまった。

「どういう用件で、来たんだ？」「お父さん、用事って何なの？」

私は、「どういうことだ」と首を捻《ひね》った。康子のほうも似たようなもので、顔をしかめている。鉄板の上で、焼きすぎのカルビ肉が音を立てている。焦げはじめているらしい。

「用事も何も、康子、おまえが来たんだろうが」

「わたしは、お父さんのほうが用事があるって言うから、どうしてもって言うから、来たんだって」

康子は不可解さに動揺しているようだったが、不愉快に感じているわけではなさそうだった。私も同様だった。この期に及んで、喧嘩をするつもりはない。

「誰に言われたんだ？」と訊きながらも、答えは分かっていた。

「お母さん」

その通りだ。私と康子の間に入っているのは、静江しかいない。彼女が康子とやり取りをし、そして私に、「康子が会いに来るそうよ」と伝えてきた。

「おい」私は首を傾け、彼女を呼ぶ。そこで、静江が席を立って、姿を消していることに気づいた。「おい、おまえ。これはどういうことだ」と声を大きくした。

静江は寝室の襖《ふすま》を開け、のんびりと食卓へ戻ってくるところで、「おい、おまえ、どういう」と私は語調を強くする。

「じゃーん」と軽薄な擬音語を発して、静江は段ボール箱を前に出す。先ほどまで自分が座っていた椅子の上に、どんと置いた。「これを見てほしいんですよ」

汚い段ボール箱だ。箱の横には、引っ越し業者の名前が印刷されている。私たちが、ヒルズタウンに引っ越してきた時に使った、段ボール箱に違いなかった。

「それ、何なの？」康子が首を傾《かし》げた。責める口調ではなかったが、訝《いぶか》しがってはいる。

「最近、和也の部屋を片付けていたんですよ」と静江はぽつりぽつりと言いはじめた。

「兄貴の？」

「そうしたらね、押入れの奥のほうに、これがあったんです。で、これをお父さんにも、康子にも見てもらいたくて」

「それは何なんだ？」

静江が箱の上部を開けはじめた。四枚の扉を順に開くように、右、左、上、下、と蓋《ふた》を広げた。

私と康子は中身を覗《のぞ》き込もうとしたが、その前に静江が手を入れ、それを取り出す。

「これ、覚えています？」

右手に持っているのは、小さな木の棒だった。欅《けやき》の枝だろうか。三十センチほどの長さのものだ。先端が尖っている。荒っぽく、ナイフのようなもので削られていた。左手には、ヘルメットがつかまれている。黄色い、工事現場用のヘルメットだ。段ボール箱からは、網のようなものも飛び出している。サッカーのゴールネットから切り取ってきたような、網だ。

「何だ、それは」と苛立ちを口にしようとして、そこで私の頭に、忘れていたはずの場面が甦《よみがえ》った。

7

夏のことだ。どれほど前なのか、正確には分からないが、陽射しが目一杯強く、蟬《せみ》が、大気を焦がすような騒がしさで、鳴いていた。

私は居間のソファに座り、ぼんやりとしていた。だから、日曜日だったのではないだろうか。久しぶりの休日に心身ともに弛緩《しかん》させ、窓から見える空に、爽快感と忌々《いまいま》しさを覚えていた。雲ひとつない青空は心地よかったが、反面、家でテレビを観るだけの自分に自己嫌悪を感じた。

静江と康子も同じように、居間にいた。康子はテーブルにノートを広げ、黙々と宿題をやっていたのではなかったか。そこに和也が現われた。まだ小学生だった頃の、和也だ。

「康子、行くぞ！」と彼は勇ましい声を発した。

私が面倒臭そうに顔を上げると、和也はヘルメットを被《かぶ》り、右手には木で作った弓を持っていた。大きな手作りの矢も、一緒につかんでいる。

「和也、どうしたの？」静江が目を丸くした。

私は見た瞬間に、顔をゆがめたはずだ。当時、和也はすでに小学校の四年生か五年生であって、その年にしては、その恰好は幼稚に過ぎたからだ。

「お兄ちゃん、どうしたの？」康子も顔を上げて、不思議そうにしていた。

そこで、和也が真剣な表情で言った。「康子、行こう。魔物をやっつけに行かないと！」

私たち三人はそれぞれ、きょとんとして、言葉がすぐに出なかった。魔物？　私は正直なところ、その幼い発言に幻滅していた。賢い息子とは思っていなかったが、それにしても唐突に、「魔物をやっつけに」などと口にするとは、これはもう救いようがないな、と絶望を感じた。

「どこに？　どこに行くの」康子のほうが年齢は下であったのに、よほど現実的だった。

「魔物っているの？」

「兵庫にいるんだよ」和也はそう言い切った。「お母さん、兵庫まで行くから、お金をちょうだい」

「兵庫？」静江も狼狽しながら、聞き返した。

和也がこくんとうなずいた。真剣な目で、私たち全員の顔を見回して、おもむろに口を開いた。

「さっき、テレビで言ってたんだ」

「何？」

私は居間に置かれたテレビに目を向けた。直前まで、高校野球の中継をやっていた。決勝戦だったはずだ。負けていたはずの優勝候補が、最終回ツーアウトから、見事なサヨナラ勝ちを成し遂げたばかりだった。

「言ってたんだよ」和也はつづけた。「甲子園には魔物が棲《す》んでいます、って」

8

当時の私がどういう反応をしたのかは思い出せない。いや、きっと醜い虫でも目にしたかのように、露骨に嫌悪感を表わしたのだろうが、今の私は、胸の中に柔らかい空気が流れてくるのを感じていた。軽やかな、むずむずとする塊《かたまり》が、腹の下から喉《のど》へとせり上がり、やがて、それが心地よい吐息となって口から飛び出した。

噴き出していた。顔中の緊張が緩んで、頬がたるんでいるのが自分でも分かる。ふふふ、と声がしたので目を向けると、康子も顔をほころばせていた。目尻を下げて、口元近くに手を寄せていた。

静江が嬉しそうに、私たちを眺める。「覚えてます?」

「魔物か」私は顔をしかめたが、それは決して不快感からではなかった。

「魔物だ」康子が断定するように、笑いをこらえつつ、首を縦に振った。

「可笑しかったですよね、あれ」静江が持っていたヘルメットを段ボールに戻した。

康子が上擦《うわず》った声を出した。「あの時、わたし、すごく感動しちゃったんだよなあ」

懐かしそうでもあった。「あれで、わたしは分かったんだね。兄貴は他の人にはないものを持っているって」

「他の人にはないもの？」静江が答えを促した。

「そう」康子が微笑んだ。「何か、スペシャルなもの。兄貴はそれを持ってる」

「スペシャル」私はぼんやりとその言葉を鸚鵡返《おうむがえ》しにした後で、無意識のうちに、「スペシャルな馬鹿だ」と口に出した。

「あなた」静江が眉をひそめ、咎《とが》めるように言ってきた。

慌てて、口をつぐんだ。馬鹿と言う者が馬鹿だ、と言い捨てられた記憶が甦る。けれどその時の私が口にした、「馬鹿」には、悪意は込められていなかった。

康子は表情を変えなかった。穏やかな顔つきのまま、まさに私に同意するかのように、「そうだね」と言った。「兄貴は、スペシャルな馬鹿だ。何といっても、甲子園に魔物、だからね。幼稚園児じゃないんだから」

私は肩から力を抜き、静江を見た。「これを見せたくて、康子を呼んだのか？」

「というよりも」静江は段ボール箱の中を見下ろして、うーん、と言葉を探した。しばらくしてから、「せっかくですから、和也に魔物を退治させたかったんですよ」と洩らした。

「魔物は退治されたのか」

「さあ」静江が首を小さく傾げた。

私の頭には、ヘルメットを被り、真剣な表情で立つ、和也の凛々《りり》しくも可愛らしい顔が、くっきりと浮かんでいる。

「お父さん」康子がそこで、立ち上がった。こちらを睨《にら》みつけ、喫緊《きっきん》の問題に取りかかるような、深刻な表情を見せている。私は唾《つば》を呑み込んで、圧倒されるように、背もたれに身体をつけた。

「わたし、お父さんのせいで、ずっとつらかったんだよね。いつも成績とか順位とか結果ばかり気にされて」まるで、罪状を読み上げるような口調だった。

その瞬間、私は理解した。ああ、と呻《うめ》いた。憎悪と怒りが丹念に塗り込められた、この娘の言葉こそが「魔物」なのだな、と覚悟をした。

「いつも人を馬鹿にしてさ、一緒にいるわたしまで荒《すさ》んだ気持ちになって。子供の時から、プレッシャーばっかりだし。兄貴が死んだのも、お父さんのせい。わたしはそう思ってる」

目に見えない、けれど長年にわたって蓄積された憎悪のようなものが、魔物となって上から襲いかかってくる。まさに、そういう圧迫と恐怖を実感する。あと三年で世界が終わる、というこの時に、私を逃すまいと詰め寄ってきた魔物だ。口を閉じたまま、じっと康子を見ることしかできない。部屋の電気が暗くなるように感じた。壁という壁が真っ黒に染まり、息苦しい。視線のやり場に困り、目を閉じかけたが堪えて、ぐっと娘を見る。

「でもさ」そこで康子が言った。溜め息とも、笑い声ともつかない空気を、ふっと口から吐き出すと、表情が心なしか穏やかになり、目から強張りが消えた。「でもさ、許すよ」

「え?」私は思わず、裏返った声を出してしまう。

「兄貴のヘルメットを見たら、どうでもよくなった。そういうの、ぜーんぶ、許すよ」娘が父親に向かって、「許す」と偉そうなことを口にするなんて聞いたことがなかった。けれど私は怒りはしなかった。「そうか」とだけ、かろうじて言った。

9

翌朝、東京に帰る康子を、車のところまで見送った。彼女は運転席に乗り、シートベルトをした後で窓を開け、私たちに手を振った。彼女の左手薬指に指輪が見えたものの、そのことには触れなかった。

「お父さん、お母さんに謝ったほうがいいよ」康子が顔を出した。

「俺が?」

「今までずっと馬鹿にしてたんだから。たぶん、お母さんはすごく怒ってるよ」

「馬鹿な」私は横に立つ静江に一瞥《いちべつ》をくれた。「なあ」

「わたしは怒ってますよ」静江の声は、心なしか、いつもより張り切っている。

「ね」康子がけらけらと笑う。「いい？　三年後、世界が終わっちゃう時、お父さんの隣にいてくれるのはほぼ間違いなく、お母さんだよ。お母さんしかいないんだよ。せいぜい、一緒に仲良くいてくれるように、機嫌を取っておいたほうがいい」

「馬鹿な」私はまた口に出す。様子を窺うように、静江をもう一度見ると、彼女は顔を強張らせた。「わたしは康子と違って、簡単には許さないと思います」

　エンジンがかかる。

　公園のことを考えてみた。三年後、ベンチに座ってその時を待つ、私と静江の姿を想像した。洪水や建物の倒壊を前にし、落ち着いているわけがないのに、それはとても穏やかな光景に思えた。私たちは背を丸め、夕焼けに目を細めている。優雅に漂う、赤いとんぼを楽しむ。静かで、のどかな時間が私たちを待っている。そう思えた。

「お父さん、せいぜい頑張ってよ」康子は声を大きくした。「まだ、三年もあるんだし」

　その、「三年も」という言葉は、心強かった。

「おい」

「わたしは簡単には許さないですから」静江が今度はひときわ、はっきりとした声で言った。

太陽のシール

1

選択できるというのは、むしろ、つらいことだと思う。

マンションの和室で、机に片肘《かたひじ》をつきながら僕は、母の遺影を飾った仏壇を眺めていた。蛙の模型がついた置時計が、右手のサイドボードの上にある。夕方の五時だった。しばらくすると、美咲《みさき》が帰ってくるはずだ。「で、決まった？」と彼女はいつも通りの、あっけらかんとした口ぶりで訊《たず》ねてくるだろう。三十四歳、僕よりも二つ年上の彼女は、僕の決断力のなさをよく知っている。

決まるわけないじゃないか。

溜め息を堪《こら》えながら、内心で、白黒写真の母に話しかけた。銀の額縁に入った母は、むすりとしている。「優柔不断の決定戦があったら、あんた、絶対一番だね。我が子ながら呆れるよ」女手一つで僕を育ててくれた彼女は、僕の人生の初期の頃から、それが自分でも気に入っている表現なのだろうか、よくそう言った。おそらくあれで僕は、「自分は優柔不断なのだ」と刷り込まれたのではないだろうか。

「でも、真の優柔不断の人は、その決定戦に出場すべきかどうかでまず悩みますから、そのコンテスト自体が開催されないですよ」十年前、結婚したばかりの頃、美咲がそう言い返したことがあった。母は、その返答をいたく気に入り、美咲のことも気に入った。

選択の自由なんかいらない。選択の余地がないほうが好ましい。車で旅行する時も、目的地に着く経路は一つであってほしいし、定食屋の昼食は毎日、固定で一品にしてもらえるとありがたい。僕から言わせれば、そうだ。

「どちらに決めても、大差はないんだと思うよ」美咲はいつも言う。「あの時ああしてれば、とか、こうしてれば、とかいうのは、結局どっちを選んでいても同じような結果になるんだって」

いつだったか僕は、「君と結婚したことについては、どうなのかな。あれも重大な選択じゃなかったのかな」と訊ねたことがあった。その時の彼女の答えも簡単だった。

「あれは選択の権利が、富士夫《ふじお》君になかったんだよ」

「そうだったか」

このまま六畳の和室で首を捻《ひね》っていても、決定できるわけがない。立ち上がり、上半身を反らし、伸びをした。

居間に出て、ハンガーにかけてあるブルゾンを取る。腕を通す。振り返り、レースのカーテン越しに窓の外を見やる。秋らしい、鱗《うろこ》模様の雲が、薄く伸びていた。日が沈みかかっている。気のせいか、最近は夕焼けや雲の流れがとても美しい。まるで、人々が慌てふためいているのを、いい気味とばかりに、周囲の自然が活き活きしはじめたかのようだった。

台所へ足を向けた。コンロの上に置いた鍋から、煮た大根の匂いがわずかに漂っている。昨晩作った、鰤《ぶり》大根の残り半分だ。

「聞いて驚かないでよ」昨日、美咲が言ってきたのは、その夕飯を食べていた時だった。大根を噛《か》み、味が沁《し》み込んでいて美味しい、と頬を緩めた後で、まるで鰤を突くついでのように、「何と、妊娠してるんだって」とつづけた。

「え」と僕は、ぽかんとした。

「今日、病院に行ってきたんだけど」

「風邪気味だと言っていたよね」

「実は、ちょっと体調が変だったからさ、もしやって思ったんだよね」

「思ったんだよね、って」

「お義母《かあ》さんが前に、言ってたじゃない。『世の中ってのは何でもありだね』って」

「いつ頃?」

「ちょうど、五年くらい前」

「ああ」と僕はうなずく。「確かに、あの時は何でもありだった」町中で、おそらくは地上のあらゆる場所で、混乱が起きていた頃だ。投げ遣りな人々があちこちで暴力を振るい、物を盗み、建物に火を放った。あと八年で隕石《いんせき》が落ちてくるんだったら、生きていたって一緒じゃねえか、とビルから飛び降りる者もいた。大勢、いた。死ぬくらいなら死んだほうがマシだ、というのは妙な理屈にも思えたけれど、とにかく、何でもありだった。

「本当に妊娠したわけ？」

「妊娠八週目！」美咲は屈託のない笑い方をした。いつもと同じだ。「さあ、どうしよう」

「どうしようって言われても」

美咲の顔には苦悩はなかった。楽しそうに僕を見据え、「産むか産まざるか。選択の時よ。富士夫君の得意な、選択だよ」と言った。

食卓の脇にかかっているカレンダーに目をやる。昨日の日付に、サインペンで丸印が書き込まれている。「14時　丸森病院」と美咲の字が書き添えられてあった。丸森病院は、「ヒルズタウン」からバスで二区間ほど進んだ場所にある、小さな病院だ。美咲はそこで診察を受けたらしい。病院がまだ機能しているのか、とそのことに呆れてしまう。

財布をポケットに入れ、玄関へ向かった。途中で、鍵を取りに和室へと引き返す。写真の中の母と目が合った。「さて、あんたに決断できるのかね」と試すような顔をしている。

2

エレベーターに乗ると、五年前の、八月十五日を思い出す。

あの時、美咲と僕は、仙台市内にある旅行代理店に行き、年末に行く海外旅行のパンフレットを掻《か》き集めてきた帰りだった。例年に比べると冷夏と言われていたけれど、その日は特別に暑かった。身体《からだ》をひねるたびに、着ているTシャツの汗染みが肌に貼りつき、不快だった。

マンションのエレベーターに乗り、六階に到着するのを待っていた。「こんな暑い時期に、ハワイに行く予定を立てるなんて馬鹿だ」と美咲と並んでパンフレットをめくっていた。そしてその時、たぶん二階だったと思う、エレベーターが停止して、婦人が中に入ってきた。彼女は八階のボタンを押すと、僕たちをちらと眺めた後で目を逸《そ》らし、それからやはり我慢できないという様子で、「聞きました？」と目を輝かせた。

「何をですか？」僕はてっきり、マンションの噂話や、町内会のごみ収集の件かと思った。違った。彼女が口にしたのは、町内会よりももっと規模の大きな話だった。

「さっきからテレビがおかしいんですよ。どのチャンネルも同じ放送で」

「故障ですか？」

「変なニュースばっかり流してるんです」

「変なニュース？」

「八年後に小惑星が落ちてくる、とか。壊滅的な状態になる、とか」

いい大人の婦人から、「惑星」であるとか「壊滅」であるとか、幼稚とも取れる言葉が出てくるのが可笑《おか》しくて、笑いを堪えるのが大変だった。

「悪戯《いたずら》ですかね」僕が言うと、彼女は眉《まゆ》をひそめ、「だと思うのよ」と答えた。上を指差し、「今から、板垣さんのところにその話をしに行くんですけど」と雑談が生き甲斐であるかのような、表情を見せた。

そのニュースは結局のところ、悪戯でもでたらめでもなかった。夜、延々と映し出されるテレビの報道番組を眺めながら、僕たちも、「これは悪戯などではない」と信じざるを得なくなった。母に連絡を取ろうにも、電話が不通でどうにもならなかった。今から思えば、あの時の僕たちは、八年後に世界が終末を迎えることよりも、電話がさっぱり通じないことに苛立《いらだ》っていた。

その日の夜、マンションのどこか一室で悲鳴が上がりそれに釣られるように、嘆きの叫びが何ヶ所かで響いた。察しの良い住人が、察しの良い順で上げた絶望の声だったのだろう。

あれ以降、八月十五日は、終戦記念日というよりも、もっと別な意味を持つ日となった。

一階に到着し、通路を進む。エントランスに出ると、正面に郵便ポストが並んでいる。その上に、野球のグローブが、二つ載っていた。長いこと、その場所に置かれたままだ。それが目に入るたび、僕は暗い気持ちになる。使われないグローブが、終わりに向かうだけのこの世界の象徴のように感じられるからだ。

外に出ると緩やかな傾斜があって、右手には小さな花壇がある。いつ見ても、土が綺麗に均《なら》されている。住人の誰かが手入れをつづけているのだろう。

行く当てはない。ただ、歩き回っていれば、何らかの決心がつくのではないか、と期待していた。それにしても皮肉だ、と僕は思う。子供が欲しくて仕方がない時には、まったく結果が出なかったのに、すっかり諦《あきら》めて、妊娠や出産どころではなくなった今頃になって、できるなんて。確かに、何でもありの世の中だ。

3

僕たち夫婦は、結婚した当初から子供が欲しかった。それなりに準備や計算をしていたにもかかわらず、うまくいかなかった。

「念のため、調べてもらおうか」と美咲が、まるで骨董品の価値を鑑定士に見てもらうような軽い調子で言うので、七年前に検査をしてもらった。

「原因は、ご主人のほうにありますね」

不妊治療では有名な、仙台市郊外にある産婦人科医は、僕と美咲の前でそう結果報告をした。作られる精子の数が極端に少ないのですよ、と同情も冷たさも感じさせない、「技術的」と賞賛してもよい、平淡な口ぶりで言った。

「無精子症ですか？」と訊ねると、そうでもない、と曖昧《あいまい》な返事をした。

「絶対に、子供ができないのですか？」と質問を重ねたところ、医師は目を光らせた。

「最近の医療技術は進んでいますから、大丈夫ですよ。もっと詳細な検査をいたしましょう」

それから僕は、自分の身体について説明を受け、数年前にやったおたふく風邪の高熱が影響しているかもしれない、とも言われた。

「ごめん」病院を出た後で、僕は意識するよりも先に謝っていた。

「何で謝ってるの？」と美咲が笑った。

「だって、僕が原因じゃないか」

「別に悪いことじゃないんだからさ」彼女はいつだって鷹揚《おうよう》で、深刻なことを笑い飛ばすのが得意だ。「それに、少し嬉《うれ》しかったし」

「嬉しかったって、何で」

「実はさ、てっきりわたしが原因じゃないかって思ってたんだよね。申し訳ないなあ、って気にしてたんだけど。でも、富士夫君のせいなら、気楽で」

「せい、って言うな、せい、って」僕が慌てて指摘すると、「富士夫君のおかげで」と妙な言い直しをした。その後はいつもの通り、会社の愚痴《ぐち》や昔観た映画の話をしていたのだけれど、帰りのバスの中で、「どうしようかな」と僕は口に出した。

「何が？」

「検査と治療」医者が言うには、不妊の検査は何度もやるべきで、治療をすることで妊娠の成功率は格段に上がるとのことだった。

「富士夫君はどうしたい？」

「僕が訊ねたのに、質問で返してくるのはずるいよね」

「わたしはさ」彼女は目を開いて、じっと僕のことを見つめ、それから今度は目を細くして頰をふっくらとさせた。「どっちでもいいんだ」

どちらかといえば、その台詞《せりふ》は優柔不断な僕が発すべきものにも思えた。「無責任だな」

「いや、本当にそうなんだよ」

「でもさ、やっぱり子供がいたほうがいいじゃないか」

「そうかなあ。検査とかってお金もかかるし、治療も楽なやつとは限らないかもよ」

「脅かさないでくれよ」僕は、一生懸命に頭を悩ませた。決断しなくてはいけない、と重圧を感じながら、思い悩んでいた。

バスを降りて、当時の住まいに戻る間も無言で悩んでいる僕を、美咲は愉快そうに眺めているだけだった。「いいじゃない。どっちでも」と快活に言ったのは、マンションの屋上が見えはじめてきた頃だ。「よし、決めた。じゃあさ、とりあえずは、このままでいようよ。もし、治療したいってことになったらそうすればいいし、そうじゃなければ今のままでいいしさ」

そうして彼女は、失策をした野手を励ます監督がするように、僕の背中をばんっ、と叩いた。僕はその言葉に甘えたつもりでもなかったが、結局、ずるずると七年も経ってしまった。

4

歩いていると、隣で自転車が勢いよく停止した。行き過ぎようとしていたのが、突然ブレーキをかけたので、つんのめりそうになっている。何事かと思って見ると、高校時代の友人の顔があった。「富士夫、ちょうど良かった」

「久しぶりじゃないか」僕と同じく仙台生まれの彼は、今でも隣町に住んでいる。小惑星の騒動で、顔を合わせることは減ったけれど、まだ町に残っているのだとは知っていた。彼は車を持っていない。自慢のオフロード自転車ならあるけれど、それでは家族を連れてはいけないのだろう。

「富士夫、最近、予定空いてるか？」

「向こう三年間は」

「サッカーやらねえか？」

僕たちは高校時代の三年間を、サッカー部で過ごした。彼が中盤のポジションをやり、僕は敵陣でこそこそ動き回るフォワードで、彼がグラウンドに線を引くかのような、綺麗なパスを僕に出してくれ、それを受け取った僕が、ものの見事にゴールを外す、というのが定番だった。それでも、「気にするな。外す時も多いけど、いつもいい場所に走り込むのは富士夫なんだから」とみんなが寛容だったのは、僕たちのチームが、国立競技場を本気で目指すような強豪ではなかったからだろう。

「土屋が帰ってきてるんだ」と彼は言う。「この間、散髪屋で会ってな」

「妙なところで会うね」と言いながらも僕は、町の散髪屋が次々と閉店し、営業中の場所を探すのがとても困難なのを知っていた。いつだって、どの散髪屋も満員だった。世界が終わろうと、隕石が降ろうと、髪は伸びる。

「土屋と喋《しやべ》っていてさ、近所の奴ら集めて、サッカーをやらないかって話になったんだよ」

「三十過ぎたおっさんたちが、サッカーする話で盛り上がるのも、妙だよな」

「そこがいいんじゃねえか」

どこがいいのか分からなかったけれど、僕はとりあえず、「いいよ」と答えた。サッカーをするのは何年ぶりだろうか、と考えつつ、スパイクはまだ持っていたかな、と頭の中で家捜しをはじめる。そして彼は、明後日《あさって》の午後一時に河川敷グラウンド、と息継ぎなしに言った。

「土屋にはずいぶん会っていないな」僕は高校時代の、サッカー部主将の逞《たくま》しい姿を思い出した。

「『大逆転』の土屋をもってしても、隕石はどうにもならなかったな」彼が残念そうに笑う。

「政府は、隕石じゃなくて、小惑星って呼んでる」

「どっちでも変わらねえだろうが」

土屋は、僕たちサッカー部の要《かなめ》だった。技術的にも、精神的にも。高校の頃から、友人たちの中でも抜きん出て聡明で、俺が俺が、と前に出る性格ではないにもかかわらず、いざとなればみなを牽引《けんいん》していた。弱小チームである僕たちのゴールキーパーで、矢のように打ち込まれるシュートを、孤軍奮闘守っていた。そして、どんなに負けている時も最後まで諦めなかったのが、土屋だった。ハーフタイムで浮かない顔をしていると、「我慢してれば、大逆転が起きるんだよ、富士夫」と、自分の知っている映画の結末を話すかのような、笑顔を見せた。大逆転が起きる時もあれば、起きない時もあった。けれど土屋のその自信満々の様子が、僕たちを、少なくとも僕を、安心させてくれた。

「そうそう」と別れ際、彼に訊ねた。「知り合いが、妊娠したらしいんだけど」と嘘を混ぜる。「相談されたんだ。産むべきかどうか」

「今生まれても、三歳までしか生きられないんだぜ」と答える彼はすでに、七歳になる娘を抱えていた。

「意味がないかな？」こめかみを掻きながら、訊ねる。

「最終的には、本人の決めることだろ」

「だよな」

「俺なら、出産は考えないけどな」彼は言い残し、じゃあ明後日な、と自転車のペダルを漕いで、遠ざかっていった。

取り残された僕は、さらに歩きつづけようとしたのだけれど、どこに行くべきなのか思いつかず悩んでしまった。立ち止まり、ふと空を見上げる。音もなく、けれど忙《せわ》しなく雲が進んでいくのが見えた瞬間、衝突してくる隕石の恐怖が現実味を帯びた物として、背中に覆い被《かぶ》さってきた。あれ、と思った時にはしゃがみ込んでいる。胸と腹の中間あたりに痛みを感じる。立ち眩《くら》みと胃痛にしばらく、うずくまった。立ち上がり、深呼吸をし、「忘れよう、忘れよう」と首を振る。

マンションに引き返そうか、それとも公園に行こうか、と足を前後に動かしながら、「こうやって悩んでいる時はいつだって、美咲が決めてくれたんだよな」としみじみ思った。

5

十二年前、東京の私立大学に通っていた時に僕は、美咲と会った。

僕は、女子大生との飲み会に行くところだった。「参加者病欠のため、繰上げ当選となりました」というような、招待のされ方だったと思う。

用事を済ませた浜松町から、飲み会会場のある池袋に行かなくてはならず、僕は駅の券売機の前に立っていた。路線図を眺めるが、そこではたと困った。

山手《やまのて》線に乗ればいい、とは知っていたのだけれど、内回りと外回りのどちらに乗れば近いのか、即座に判断がつかなかったのだ。路線図を見たところ、池袋はちょうど山手線の中間にあるようにも見えたし、停車する駅の数も似たり寄ったりだった。判断がつかないのであれば、どちらに乗ってもいいはずだ。そう思いながらも踏み切れないのが、優柔不断の優柔不断たる所以《ゆえん》なのだ。

「どこに行きたいの？」と後ろから声をかけてくれた女性がいて、それが美咲だった。券売機の前に立ち塞《ふさ》がる僕が邪魔だったのだろうが、彼女は怒った様子もなかった。

事情を説明すると、彼女は噴き出した。「どっちに乗っても、一、二分しか違わないって」

それは僕にも分かっていることなのだ、と答える。大幅な違いがないからこそ、悩むのだ、と。

すると彼女はさらに、恐ろしいことを口にした。「それならさ、一度、京浜東北で田《た》端《ばた》まで出て、それから山手線に乗ったほうが早いかもよ」

僕は必死に手を振り、半ば怒り出していたと思う。「さらに選択肢を増やさないでほしいんだけど」

「分かった。じゃあ、わたしが決めてあげるよ。山手線、内回り！」

その勢いに圧《お》されたというべきか、指示に従ったというべきか、僕は、彼女にお礼を言い、山手線内回りのホームへと向かった。どういうわけか彼女も一緒についてきて、車内での会話が弾んだせいか、僕は結局、繰上げ当選者の権利を放棄した。美咲がそう決めた。

五年前、小惑星のニュースが駆け巡った時に、マンションでじっとしていよう、と決めたのも美咲だった。つまりは、母が言うところの、「何でもあり」の状態になった直後の頃だ。はじめの一年半ほどは、様々な噂が飛び交った。出所《でどころ》も根拠も曖昧な、真偽のはっきりしない情報がメディアから流れ出た。マスコミも混乱していたのだろう。一番、たちが悪くて、影響が大きかったのが、「オセアニア地域には被害がない」であるとか、「標高千五百メートル以上の高地ならば、安全」であるとか、そういった移動を唆《そそのか》すデマゴギーだった。

近隣の人々が次々と荷造りをはじめ、街を出た。RV車やキャンピングカーの需要が増大した。生産は当然追いつかなくなり、メーカーが、「我々だって、車を作っている場合じゃないのだ」と怒り出すまでは、大勢の人々が大型車を購入し、移動生活を開始した。

周囲の態度に影響を受けやすく、つまりは、右顧左眄《うこさべん》というのが僕の性質なので、当時はひどく悩んだ。みんなと一緒に街を出ないと手遅れになるのかもしれない、と不安になり、かといって、移動先で生活をする自信もなく、暗い顔で迷っていた。

あの時も、美咲の反応は同じだった。「どうしようか」とまずは僕の顔を覗《のぞ》き込み、僕が、「実は、迷ってるんだ」と打ち明けるのを待って、「それは知ってる」と笑った。

「いつだって、富士夫君は迷っている」

「みんなと同じように出発したほうがいい気もするんだけど」

「決めた」と彼女は明瞭な声を出した。言葉で竹を割るかのような、気《き》っ風《ぷ》の良さだった。「このマンションにしばらくいようよ。こっそり食料を確保して、隠れていよう。移動するにしても、うちは軽自動車でしょ。限界があるよ」

「何なら買い換えてもいいんだけど」

「嫌。わたしはあの車に愛着があるんだから。それに車検を一月にやったばっかりじゃない。ワイパーも交換したんだし」

世界の終末を前に、「車検」というのもスケールが小さい気がしたけれど、それでも彼女の物言いはあたたかく僕を包んでくるようだった。

「ここで暮らそう。大丈夫」美咲はその際も、僕の肩を叩いた。

「大丈夫って、何が大丈夫なのさ」

「隕石は落ちてこないし、ここで二人で暮らすのはきっと楽しいよ」

彼女の言葉は一つ当たって、一つ外れた。隕石は落ちてくる。生活は楽しい。まあ、同じ一勝一敗でも、逆よりはましかもしれない。

6

結局、公園のベンチでぼうっと夕日を眺めてから、マンションに戻った。食事の支度をしていると、美咲が帰ってきた。反射的に、蛙の模型の時計に目をやる。すでに、七時近くになっていた。

「閉店間際に客がどっと来てね。レジ前に長蛇の列ができちゃって」彼女は羽織っていたジャンパーを脱ぎ、ハンガーにかける。

「いつも長蛇の列じゃないか。途中で帰ってくればいいのに」僕は無意識に、彼女の腹部に視線をやった。仮にも妊婦なんだから。

美咲はスーパーマーケットで、販売員をしていた。アルバイトだ。レジが二つしかない、敷地も狭い店舗だったが、それでも、食料品を売る店がずいぶんと減っている今は、とても貴重な存在だった。

だいたいが、農家も養鶏場の業者も、大半は逃亡するか、引退するか、もしくは死亡するかのいずれかで消えてしまい、仕入先を見つけるのはとても厄介だったし、多くの商店は強奪の対象になったので、店を経営するのは難しかった。

そんな中、営業をしているのが、美咲の働くスーパーマーケットだ。町内にあった、佐伯米穀店がとうとう店を閉じ、住人の誰もが、「これは不自由になるぞ」と覚悟を決めはじめた頃に、突如として営業を再開した。たぶん、街が少しずつ穏やかになっているのを、店長は敏感に察知したのだろう。とにかく、「こういう時にこそ店を開くのが、真の商人じゃないか」と腰を上げたらしい。

「店長はね」と美咲は言った。「気概というか、誇りというか、そういうのに熱くなる性格なんだよね。使命感に溢《あふ》れ、不可能に挑戦する。そういうのが好きみたい」呆れと賞賛が半分ずつ混じっている声だった。

「正義の味方みたいだ」純粋に僕は、感心した。

「本人もそのつもりなんだよね。店長、そういうヒーローが好きなんだって。自分のこと、キャプテンって呼ばせてるし」

「キャプテン?」何それ、と僕は眉を下げる。

「偉そうでしょ。敬称なんじゃない? まあ、基本は善人だから、いいんだけど。やっぱり、妙なおじさんだよね。で、お客さんのことは、民衆って呼ぶんだから。『今日も民衆は買い物に来るぞ』とか言ってね。きっと、民衆のために、キャプテンが立ち上がった、っていうイメージなのかも」

「自分も民衆のくせに」僕が不思議そうに言うと、美咲は笑いながら、「民衆じゃなくて、キャプテンだから」と訂正を促してきた。

美咲が部屋着に着替えている間に、僕は次々と食卓に皿を運んだ。茶碗二つに、昨日の鰤大根を載せた皿が二枚、スープ皿が二枚、箸《はし》は二膳だ。

仕事を辞めて以来、家事は僕の担当になっている。男の手料理と言えば聞こえはいいけれど、ようするに手を抜いた、大雑把な料理だ。家にある食材を煮たり、焼いたりする程度で、味付けは塩かソースばかりだった。だから、食材や調理法は違うのに、毎日、台所は同じような香りがしている。

「で、決まった？」料理を食べ終えた頃、美咲が箸を振り、僕の顔を見た。

「え」

「富士夫君の決断はどう？」と目を輝かせた。そして、大袈裟《おおげさ》に自分のお腹のあたりを撫でる。はなから、答えを知っている目つきで癪《しやく》だったけれど、事実、「まだ悩んでいる」としか答えようがなかった。

「良かった」美咲が深く息を吐き出す。

「良かった？」

「だって、ここで即座に答えが出せるようだったら、それは、富士夫君らしくない。つまんないよ」

食器を二人で洗い終えると今度は、オセロの盤を食卓に載せ、二人で向かい合った。これが最近の僕たちの日課だ。流行と言ってもいい。食後はオセロに限る。

僕はオセロが好きだった。他の遊び、囲碁や麻雀、将棋をやるのは気が進まないのに、オセロには抵抗がない。そのことを話すと美咲は、「きっと、選択肢が少ないからだ」と分析をした。麻雀であれば、どの牌を捨てるかはいくつもの可能性があるし、鳴いたり鳴かなかったり、リーチをかけたりかけなかったり、と様々な選択を行わなくてはならない。将棋であれば、移動する駒を選ばなくてはならないし、詰むためのバリエーションはいくつもある。囲碁にいたっては碁盤のどこにでも石を置くことができる。それに比べれば、オセロは手が限られる。置くべき石は白か黒かどちらか一色で、一度置いたら移動できない。相手を裏返すことができる場所にしか置けないし、点数もない。ルールも単純だった。

「だから、富士夫君はオセロ好きと見た」

「鋭い」

この一ヶ月の戦績は、ほぼ互角だ。彼女の記入している手帳によれば、彼女のほうがわずかに勝っている。

「静かだね」

美咲が、僕の黒い石を一気に三つひっくり返しながら、言った。かたん、かたん、かたん、と自分の石が敵の色に翻っていくのを眺めながら、本当に静かだな、と思った。

一年ほど前、いや半年ほど前までは、夜ともなれば、町のあちらこちらで人の声が上がった。「目の前が暗くなる」という絶望が、実際に、暗くなった空を見ることでいや増すのかもしれない。夜が深くなるにつれて、街の路面からじわっと、やる方ない思いが滲《にじ》み出るようだった。襲われた女性の悲鳴や、侵入者を撃退する声、世を儚《はかな》んで起きる口論、それらが断続的に聞こえたものだった。

それが今はしんと静まり返っている。カーテンを閉め切っていると、このマンションの、この一室だけが宙に浮かび上がっているような錯覚すら感じる。夜空に浮かび上がり、町を見下ろし、ふわふわと揺れる。だから、町の音が届かない。そう思いたくなるくらいだ。オセロの石を置く音だけが、響く。渋滞を作る車の騒音がなくなったせいでもあるだろう。移動する者たちはおおかた移動し終えて、残っているのは、移動を諦めた者たちだけだ。

「不思議なものでさ」僕は黒の石をぱちりと置き、美咲の白石をひっくり返す。「こんなに静かだと、幸せな未来があるとしか思えない」

「いや、もっと耳を澄ましてみなよ」美咲が含みのある笑みを浮かべた。

片耳をカーテンへと傾ける。じっくりとそばだてるが、物音一つしない。「何も聞こえないけど」

「小惑星が近づいてくる音が聞こえない？」

「それ、笑えないから」胃がきゅっと締まるのが分かる。

こうやって、僕が妻とオセロをぱちぱちと叩き合っている間にも、秒速二十キロであるとか、三十キロであるとか、そういう速度で、小惑星が向かってきている。信じられない。卑怯だ、と詰《なじ》りたくなるが、小惑星も卑怯なわけではない。

「美咲は、どう思ってる？」僕は探るように訊ねた。

「その角を取られたのは痛い。と思ってる」とオセロ盤の右隅に置いた、僕の黒石を指差した。

「そうじゃなくて、子供」

「だよね」彼女は、僕を真っ直ぐに見た。

心なしか、彼女の口の周りに皺《しわ》が目立っているように見えた。美咲は、三十四歳という年齢にしては、かなり若い外見をしている。二十代と見間違われることも多いし、脂肪を持て余す体型でもない。けれど、それでも確実に年を取っているんだな、と改めて感じた。目尻にもうっすらと線のような皺が見えた。

「まさか、子供ができるとは思わなかった」僕は精一杯、明るい声を出す。「あの医者、ヤブだったんだなあ」

「可能性が低いと言っただけだったから、嘘を言ってたわけじゃないよ。わたしたちが諦めていただけでさ」

「本当に諦めてた」僕は溜め息をつく。「すっかり忘れていたし」

「忘れていたって、避妊を？」

「セックスをしたら子供ができるってこと自体も」それは僕の正直な気持ちだった。十年前、子供は男と女のどちらがいいだろうか、と話していた頃が嘘のようだった。子供が欲しかった、ということすら忘れていた気がする。たぶん、僕も美咲も、お互い無意識ながらも、子供や出産のことは口に出さないようにしていたのだろう。

「怒ってるかな」と美咲が首を曲げ、自分のお腹を見下ろした。

「怒ってる？」と聞き返したところで、彼女の言わんとすることが分かった。確かに、怒っているかもしれない。無計画に、無責任に、無頓着に子供を作った僕たちに向かって、彼女の腹の中の子供は、勝手に妊娠しておいて悩むんじゃねえよ、と憤《いきどお》っているに違いなかった。「怒る権利はある」と僕は実感を込めて、言う。怖さすら感じた。

「常識からしたら、産むべきではないのかなぁ」美咲が首を捻る。「あと三年で、終わっちゃうんだもんねえ」美咲は、書棚の脇に貼ったカレンダーに目をやった。「三歳までも生きられないなんて、ちょっとひどいよね」

「ひどい」果たしてそうなのか、と僕は悩む。「かもしれない」

「生まれてこなくても、生まれてきても怒るだろうね」彼女はまた、自分の腹を見た。

「この子」

「たださ」僕は昨日の晩から頭に引っかかっていることを口にする。「もし、無事だっ

「たら?」

え、と美咲は一瞬、動作を止めた。「小惑星が落ちてこなかったら、ってこと?」

「そう。落ちてきても、何らかの方法で無事に済んだりして。そうしたら、あの時、子供を産んでればって後悔しないかなあ」

言いながら僕は、「何らかの方法って何だよ?」と思わずにはいられなかった。僕が考えつくようなことは、すでに世界中で実行済みだった。各国の政府が知恵を出し合い、仰々しいセレモニーまで開いた後で、核兵器を打ち上げたこともあったし、シェルターの建築もはじめていた。けれどどれも、うまくいった様子はない。僕みたいな小市民に連絡がないだけかもしれないけれど、それでも、好転した様子はまるでなかった。現実は、映画のようにはいかない。映画の俳優たちは演技をしているだけだが、現実の政治家たちは本当に、パニックを起こしている。

「後悔なんてしないよ」彼女が笑う。「小惑星から救われただけでも、ラッキーなんだからさ。わたしと富士夫君は抱き合って喜んで、で、また、子供を作ればいいんだよ」

「そうだよねえ」僕はうなずいたけれど、納得したわけではない。「でもさ」とまた煮え切らない言葉を挟む。「十年かかって、やっと妊娠したんだよ」

「次も十年かかるとは限らないでしょ。一度妊娠すると、しやすくなる、という話も聞いたことあるし」

「もう、できない可能性もある」

「それならそれでいいじゃない」美咲は軽やかなものだった。「今までも夫婦二人で楽しく生きてきたんだから、それがつづくだけだよ」

「僕もそうは思うんだ」

「でも、納得はしていないわけだ」

「試されている気がするんだ」僕は、オセロの盤にもう一度目をやって、「あれ、どっちの番だっけ？」と確認をした。「富士夫君」と彼女が指差してくるので、黒石をぱちりとやって、白を二つやっつけてやった。

「試されているってどういうこと？」

「僕たちがここで子供を諦めたら、それは小惑星の衝突を受け入れたことになるんじゃないかな。どこかで誰かがそれを見ていてさ、それならば、衝突させてやろうって判断するのかもしれない」

「どこかの誰か、って誰？」

「知らないよ。ずっと遠くで、こっちを眺めてる何かだよ」

「神様とか？」

「三丁目の山田さん、とかそういうんじゃないのだけは確かだ。とにかく、僕はそう思うんだ。で、逆に僕たちが、出産を選択すればさ」

「小惑星がぶつからない？」

「例えばね」

「それって、宗教っぽくないかな」

うーん、と僕は唸《うな》る。腕を組む。「宗教なのかな、こういうのも」そのあたりの区別が分からなかった。そしていつから、「宗教」という言葉が非難語になったのだろう、と不思議に思った。

「でも、もし子供を産んで、しかも、三年後に小惑星がぶつかったらどうするの。『思い過ごしだったね』で済ますつもり？」

「無責任かな」

「いや、悪くはないと思うよ」美咲は本当に寛大だった。どんな意見を出しても、嫌悪感を示さず、返事をしてくれる。ずいぶん前に、「君は、僕のどこが良くて」と下らない質問をしたことがあったけれど、彼女は真顔で、「富士夫君は優柔不断だけど、でも実は、どっちを選択すべきか本当は知っているんだ」と答えた。買い被りだよ、と僕は泣きたくなった。

「ということは、産むことにしようか」美咲が、僕の目をじっと見た。

「もう少し、時間をくれないかな」

どうせ時間がいくらあっても決断できないくせに、と彼女は言わなかった。ただ、

「わたしはいつまでも待ちたいけど、タイムリミットはあるからね」とだけ付け足した。

その通りだった。出産しないのなら、悠長なことは言っていられない。

また、オセロを再開する。途中で、「このオセロでわたしが勝ったら、産むことにして、負けたら、産まないことにしようか？」と美咲が提案した。

「それは嫌だ」

「冗談でした」

7

二日後、僕は広瀬川河川敷のグラウンドで、久しぶりのサッカーを楽しんでいた。集まったのは全部で十二人で、敵と味方が六人ずつに分かれて、試合をやった。大半が見知った顔だった。近所の四十歳のおじさんもいたし、高校時代の先輩もいた。名前を知らない若者が、一人いたのだけれど、「レンタルビデオ屋の店長」と説明を受けて、納得した。以前はよくその店に通っていた。

少ない人数で駆け回り、攻撃も守備もやるというのは本当に疲れた。汗はかくし、息は切れ、足はもつれる。けれど、爽快感のほうが勝っていた。

ぜいぜいと呼吸を整えるのが精一杯で、僕たちは特別、言葉を交わさなかったけれど、それでもそれぞれの顔には満足感が漂っている。家族を連れてきている者もいた。グラウンドの脇の芝生で寝転がり観戦している老人たちもいた。僕を誘ってくれた同級生の彼は、「こんな時にサッカーなんてやって、何を考えてるの」と奥さんにたしなめられたらしい。

ストップウォッチがあるわけでもなかったので、三点先取した側が勝ち、というルールではじめたのだけれど、お互いが二点を取った時点で、ひいひいと全員が喘《あえ》ぎ出し、腿《もも》の張りに悲鳴を上げ、結局、同点のまま休憩を取ることになった。それぞれが足を引き摺《ず》り、グラウンドの外に出る。帰る、と言い出す者はいなかった。

土屋と喋ったのは、その時だ。ベンチに腰をかけていると、隣に腰を下ろして、「富士夫、久しぶりだよな」と声をかけてきた。

「本当に久しぶりだ」

十五年ぶりくらいに見る土屋は、白髪混じりになって、眉間《みけん》の皺も深くなっているせいか、貫禄が増して見えた。けれど、どこか穏やかな、安心感のようなものは相変わらず漂っていて、僕は嬉しかった。

「結婚してるんだろ？　奥さん、来てないのか？」

「彼女、日中はスーパーマーケットで働いてるから」と僕は答える。

「あと三年しかないんだから、なるべく一緒にいたほうがいいだろうに」

「キャプテン・スーパーマーケットの手伝いも悪くはないよ」僕がぽつりと言うと、右隣の土屋は「え」と聞き返してきた。「昔、そういう映画あったよな」とも続ける。

「何だいそれ」と僕は首を捻った。

「チェーンソーを持ったヒーローだ」と訳の分からないことを答えた。

目の前には、砂利のグラウンドが広がっている。サッカーのゴール、野球用のネットやスコアボードはあるけれど、それ以外には何もない。向こう端には草叢《くさむら》があって、それをさらに越えると広瀬川が流れている。右手に視線を伸ばせば、川を横断するための橋が架かっている。錆びて、銅色をした橋だ。数年前、あまりの渋滞に苛立った人々が、何を思ったのか発作的に次々と、橋の上から飛び降りたこともあったらしい。

空は真っ青だった。白い雲が、刷毛《はけ》で刷《は》かれたように伸びているだけで、後は、青一色だ。冷たい風が首筋に当たる。汗のせいか、ひんやりとした。川の音がする。心臓の鼓動がひっそりと響くような、せせらぎで、耳の産毛が音を立てているのかとも思った。

美咲が隣にいれば最高だな、と僕は感じ、それから例の案件、妊娠と出産のことを思い出した。

「あのさ」と土屋に相談しようと口を開いたが、それと同時に彼も、「俺さ」と言った。

「何？」と僕は話を譲る。

土屋は口元を緩めた。「俺さ、最近、すげえ幸せなんだよ」

「こんな時に？　あと三年しか、ないのに？」

「あと三年だからだよ」土屋は、僕に横顔を見せていた。唇の両端を緩やかに持ち上げて、川の方向に目を向けている。

「土屋って、死にたいのか？」

「何だよ、それ」

「だって、あと三年で嬉しいって言うからさ」

「子供がいるんだ」と土屋は口を開く。「リキって言うんだけどさ」

僕はその「リキ」の漢字を思い浮かべることができなかったけれど、とりあえず、

『南極物語』に出てきた、リーダー犬の名前だ」と返事をした。

「何だよ、それ」と土屋が笑った。「今、七歳なんだけどな」

「じゃあ、あいつのところと一緒だ」と僕は、グラウンドに残ってシュート練習を繰り返す、元チームメイトを指差した。

「らしいな。でもさ、リキは結構、特殊なんだよな」

「特殊？」

「生まれながらに病気でさ」土屋の口調は湿っぽいものではなくて、それは高校時代の彼の喋り方そのものだった。

「先天性ってやつ？」

「先天性の進行性。すごいだろ」

すごいね、とは言えない。

「敵チームにはじめから五点献上して、試合がはじまったようなもんだよ。しかも、ゴールキーパーはなし。リキはさ、そういう圧倒的に不利な試合条件で生きてるんだ」

それから土屋は、僕の聞いたことがない病名を口にした。内臓が人よりも小さく、しかも、年を取るごとに縮こまってくる病らしい。視力はほとんどなくて、喋ることもままならない。

「大変だね」と僕は、何の足しにもならない言葉をかけるしかなかった。それから、高校生の土屋を思い出す。友人に慕われて、いつも堂々とし、前向きだった。もしかしたら僕は、土屋になりたいと願ったこともあったかもしれないな、とも思った。

「人生ってのはいろいろあるもんだよな」

「三十二歳で人生を分かって、どうすんだよ」と僕は苦笑する。

「なあ、富士夫、俺とうちのカミさんがさ、今まで、一番不安だったことを知ってるか？」

「子供の病気のことじゃなくて？」

「まあ、そうなんだけどさ。いつも俺たちがびくびく怯《おび》えていることがあるんだ」

「何だい、それ」

「自分たちが死ぬことだよ」

「死ぬこと？」それは、単なる死への恐怖とは意味が異なるように、聞こえた。

「リキは病気を抱えているけどな、俺たちは毎日楽しく暮らしているんだ。負け惜しみとか強がりじゃなくてさ、本当に俺たちは楽しく暮らしているんだぜ」

「嘘だとは思わないよ」僕の知っている土屋なら、きっとそうだ。

「でも、先を見るとやってられないんだよな」

「どういうこと」

「リキが成長していくのが、不安なんだよ。俺たちは年を取るだろ。いくら健康でも、いつかは死ぬじゃないか。で、俺たちが死んだら、リキはどうなる」

「ああ」

「それを考えると、愕然《がくぜん》とするんだよな」

僕は、土屋の顔をまじまじと見つめる。

「生きている間は、どんなことがあっても、面倒を見る覚悟はできてるんだ。でもな、死んじまったら、難しいだろ」

「そうだね。難しいと思う」

「それが俺とカミさんの悩みだったんだ」

「なるほど」

「ただき」土屋はそこで言葉を切って、僕に顔を向け、喜びと困惑の混じった目を向けてきた。受験の合格発表で、合格した者が、不合格の友人を哀れむような顔だった。

「あと三年になっただろ」とぽつりとつづけた。

そこで僕はようやく、土屋の言いたいことが分かりはじめる。

「小惑星が降ってきて、あと三年で終わるんだ。みんな一緒だ。そうだろ？　そりゃ、怖いぜ。でも、俺たちの不安は消えた。俺たちはたぶん、リキと一緒に死ぬだろ。っつうかさ、みんな一緒だろ。そう思ったら、すげえ楽になったんだ」

言葉に詰まった。感嘆とも驚きともつかない感情で胸がつかえた。呼吸がうまくできない。僕は、土屋の力強さに目をしばたたくしかなかった。

「みんなには申し訳ないけどさ」高校生の頃から彼は、いつだって他人の気持ちを配慮していた。「でも、最近、俺はすげえ幸せなんだ」

「土屋は偉いよ」何といっても、十代の時のおまえと変わっていないじゃないか。

「偉かねえよ。でもさ、ここに来て、あれだ、あれが起きた気がするんだ」

「何がさ」

「大逆転だ」土屋は、高校生の土屋そのものになっていた。「大逆転が起きたんだ」

僕は、自分の相談事は呑み込んだままにした。涙とも汗ともつかないものが、じんわりと目尻に滲み出てきていた。

「あれ、見ろよ」しばらくして、土屋が正面の太陽を指差した。沈みかけの太陽は、綺麗な円形をしていて、空に貼りついたシールのように鮮やかだった。「小惑星が落ちてさ、俺たちがいなくなっても、きっとあの太陽とか雲は残るんだろうな」

「そう言われればそうだね」あのシールは容易に剝《は》げそうもない。

「ちょっと、心強いよな」土屋が静かに言うのが、印象的だった。

僕が立ち上がると、示し合わせたかのようにまた、グラウンドにみんなが集まりはじめた。すっかり疲れ果てているのに、試合をやろうとしている。物好きなオヤジたちだ、と僕は思った。そして、サッカーボールを蹴りはじめる。

試合再開から十分、土屋からふんわりとした柔らかいパスが飛んできて、それを直接ゴールに叩き込んだ瞬間、僕は決断をした。

8

僕たちは結局、日が暮れて、ボールが見えなくなるまで蹴り合いを続けた。荒い呼吸音を出しながら、「またやろうぜ」と口々に言い合って、そして、河川敷を後にした。土屋に一言声をかけたかったのだけれど、薄暗く外灯もないグラウンドでは、彼の姿を見つけることができなかった。

家に帰ると美咲がすでに、部屋にいた。「ちょっといろいろあって、店を早退してきちゃった」

　もしかして体調が悪いのか、と不安になるけれど、「そういうんじゃないんだ」と彼女は首を横に振った。珍しく、歯切れが悪い。

　食事の準備はすでにできていて、台所には、ホワイトソースと焼けたチーズの香りが、漂っていた。僕の作った料理はこんなに豊潤な匂いはしないぞ、と何に対してというわけではなく、腹が立った。

　シャワーを浴び、着替えを終えると、食卓に皿が並んでいた。グラタン皿とスープ皿が二枚ずつに、パスタの載った大皿が一枚、取り皿とスプーンとフォークが二つずつ。チーズが食欲を誘い、涎《よだれ》が口の中に広がる。

「どうしたの？　急に早退したり、食事を作ったりしてさ」と食べながら僕が訊ねると、美咲は困惑した表情を見せて、「富士夫君に謝ることがあってね」と言った。

　ああこれは、と僕はぴんときた。彼女はおそらく、僕に頭を下げて、自分の決断を口にするつもりなのだな、と想像した。いつもの僕であれば、彼女が自らの意見を先に言ってくれるのを、期待しただろう。「そうだね、そうしよう」と後から同調するのは気が楽だ。山手線の時や、この町から脱出すべきかどうか悩んだ時と同じだ。

　けれど今日は違った。僕はすでに自分の考えを決めていた。いまだかつてないくらいに、きっぱりと決断を下していた。だから、「先に言いたいことがあるんだ」と思い切って、口に出した。

美咲は一瞬目を丸くしたがすぐに、「何？」と茶化すような口ぶりになった。

「実は、決めたんだ」

「決めた？」美咲は、スプーンでスープを掬《すく》ったまま、口を開け、動作を止めた。しばらくして、「富士夫君が？」と付け足す。

他に誰がいるんだ、と僕は笑って、「産もう」と口にした。張り切った声でも、震えた小声でもない。いつも通りの、食事の際に雑談をする時と同じ口調で言えた。

「羽毛？」美咲が目をぱちぱちとやる。

「考えたんだ。そして決めたんだ」何がきっかけだったのかははっきりしない。土屋の息子の話なのか、「大逆転」という言葉の力強さなのか、それとも久しぶりに感触を楽しんだサッカーボールの重みなのか、どれがそうというわけではないけれど、僕は決心していた。「答えははじめからあったんだ。それを言う度胸がなかっただけで」

「子供を産みたいの？」

「いや、実際に出産するのは美咲かもしれないけれど、僕は、子供が生まれてきたほうがいい気がする。いや、産むんだ」

「倫理的に？」

「そんな立派なものじゃないよ。ただ、子供がいても、僕たちはきっと幸せだ。いや、もっと幸せになるはずだ」喋りながら僕は、スープに口を付けた。啜《すす》ると、喉《のど》から胃へと安心感を含んだ温かみが、流れた。「小惑星は落ちないかもしれない。そうだろ？大丈夫だよ」僕は、自分がまさかこうも物事を断言できる日が来るとは思ってもいなかったので、嬉しかった。和室の仏壇、母の遺影に一瞥《いちべつ》をくれ、どうだ、と胸を張るような気分になる。「隕石は落ちてこないし、ここで三人で暮らすのはきっと楽しい」五年前の美咲の台詞を真似した。「もし仮に、三年しか一緒にいられなくても、生まれてくる子供は幸せだ」

「無責任だ」と彼女は半分笑いながら、指差してきた。

「いや、無根拠だけど、無責任ではない」と僕は反論をする。昨日まではずっと、美咲の腹の中の子供が、どうしたら許してくれるのか、それればかりを考えていた。堕胎しても許してくれるだろうか、とか、三年も生きられないのに出産して許してくれるだろうか、とか。それればかり気にしていた。

「大丈夫」僕は自分自身に言い聞かせるために言う。「こういうのは、許すとか許されないとか、そういうものじゃないんだ。僕には自信がある」

そこで、美咲は今まで見たこともないくらいに顔をくしゃくしゃにした。目を細め、瞳には薄っすらと涙を滲ませていた。と思う。そして、持ったままだったスプーンを口に運び、それを素早く飲み込むと、僕に向かって頭を下げた。「富士夫君、ごめん」

「え」期待していた返答とは違った。

「感激したよ。富士夫君がそんな風に決めてくれるなんて、思いもしていなかったんだ。本当にびっくりした。感動的だ」

「だろ」僕はたじろぐ。あれが感動的でなければいったい何が感動なのか。「で、どうして謝ったわけ？」

「実は」彼女がそう言いはじめた時点で、これは予想もつかないことが起きるぞ、と僕は予感した。今までの前提がすべて覆《くつがえ》ってしまう、それこそ、「大逆転」が発表されるような、そういう気配が明らかに漂っていた。先ほどまでの勇ましさは急に蒸発していた。僕は怯える羊のように、息を呑み、彼女の言葉を待った。

「今日、スーパーで聞いたんだけど」美咲は照れ臭そうだった。「丸森病院って、実は、信用できないんだって」

何それ。

「あそこの産婦人科医は特にね、診断が怪しいので有名なんだって。うちのお客さんでも誤診された人が二、三人いたみたいで」

「嘘だろ」

「びっくりした？」

「というよりも、身体に力が入らない」実際のところ僕は、手が震えて、スープを掬うことができなかった。「ヤブ医者だったたってこと？」

「限りなく」

「そんな奴がどうして、病院で働いてるんだ」

「何でもありの世の中だから」彼女は、僕を憐れむように、優しい笑みを見せた。

9

翌日、美咲は、別の、信頼できると評判の産婦人科へ向かった。念のため、正しい診察を受けておこう、というわけだ。

車で一緒に行こう、と僕は申し出たけれど、「これくらいは自分で行くよ」と美咲が強く言うので、結局、僕はマンションで留守番ということになった。

おそらく妊娠していないだろう、というのが彼女の予測だった。「十年間できなかったんだから、最初から怪しむべきだったんだよね」

僕は全身に脱力感を覚えていた。サッカーによって生じた筋肉痛に襲われているせいかもしれないが、とにかく、部屋のソファで横になったきり、動く気になれなかった。

もちろん心の中で、自分を誇らしく思うところはあった。優柔不断で、電車に乗るのにさえ右往左往していた僕が、出産という重大な局面で、すぱっと決断を下した。これは、本当に上出来だった。それも、口先だけで言ったわけではない。「産もう」と言った瞬間の僕は、将来の自分たちを手で触れるような現実のものとして、思い浮かべていた。美咲と二人で子供を育てている状況が想像できた。「三年後」が近づき、世の中が再び騒がしくなり、強奪や暴力が氾濫《はんらん》しても、僕は必死に子供を守っている。そして、快活に笑い合い、三人で食卓を囲んでいた。十年後、子供と向かい合って、オセロをやる僕だって、確信できた。「ちょっとわたしも混ぜてよ」と美咲がつまらなさそうに言い、「オセロは二人でしかできないんだ」と僕が残念そうに説明をし、「お母さんは待ってて」と子供が生意気な口を利く、そんな、恥ずかしくなるくらいにあたたかい情景すら浮かんだ。

結局、ヤブ医者の誤診だったとすると、その未来は消えてしまうわけだけれど、でも、昨日あの決定を下した自分に自信を持って、僕はこの後を生きていけるのではないか。

美咲が帰ってきたのは、夕方の五時前だ。僕は焼きそばを作ろうと、キャベツを切っていた。その時に彼女が、慌ただしく部屋に上がってきた。

「お帰り」と僕が言うと、彼女は顔をゆがめた。嬉しさと照れ臭さ、それと、申し訳なさそうな表情が入り混じっていた。

「もしかして」と僕は包丁を置いて、彼女に近づく。「やっぱり妊娠してたとか？」

美咲は噴き出してから、拝むように両手を前で合わせる。「ごめん、富士夫君」

「どうしたの」

「結局、妊娠してるみたいなの」

「そりゃ」びっくり。

「しかも、双子かもしれないって」

僕はあまりにびっくりして、声を発することができなかった。けれど、次に言うべき台詞は分かっていた。「それならオセロを二組に分かれて、できるじゃないか」

窓の向こう側、ずいぶんと小さく見える太陽が、僕の右頬を照らしている。世界の終わりがやってきても、きっとびくともしない、真っ直ぐで強靭《きょうじん》な眩《まぶ》しさだ。

籠城のビール

1

「おい、おまえ動くんじゃねえぞ」俺は、横に座っている杉田に拳銃を向けた。

「どうした、辰二《たつじ》？」と正面に立つ兄が訊《たず》ねてくる。

「いや、私はただ、箸《はし》が落ちたから拾おうとしただけだ」杉田が狼狽《ろうばい》と不快感を浮かべた。杉田玄白《げんぱく》という名前はアナウンサーとしての芸名だと思っていたのだが、どうやら本名らしい。この男は四十五歳だから、四十五年前にその名前をつけたこいつの親も、くだらない奴だったのだろう。「世の中は、面白ければそれでよい」と親子揃って、信じていたのに違いない。

杉田の両脇の椅子に座る、彼の妻と娘が不安そうな顔で、俺を見た。まだ、状況が把握できていないのか、夕食前に突然押し入ってきた俺たちに、さほど怯《おび》えた様子もない。目を下にやると、確かに、食卓の下に箸が転がっている。「拾えよ。ただ、妙なことしたら、撃つからな」

言ってから俺は、兄を窺《うかが》う。彼はこの十年で身につけた、感情の起伏がすっかり消えた冷めた面持ちで、顎《あご》を引いた。銀縁フレームの眼鏡の奥には、相変わらず、生気のない目がある。俺より二歳上の三十二歳であるのに、年齢よりもずっと年上に見えた。老成や成熟というよりは、死を前に成長を諦《あきら》めた、乾燥した花のような印象だ。

俺たちがいるのは、仙台市の「ヒルズタウン」という住宅地だった。その町の、マンションの五階、五〇九号室だ。

「おまえたちみたいなテレビの人間ってのはいつだって、無責任だ」俺は、杉田を目の当たりにし、湧き上がる怒りを抑えつけるのに必死だった。歯を食いしばらなければ、言葉が言葉となる前に叫び声になってしまう気がする。

サイドボードの上の置時計を見ると、夜の七時ちょうどだ。窓にはカーテンがあったが、その向こう側の空がまだ明るいことは分かる。秋も終わりの時期であるのに日がなかなか沈まず、まるで七月の暑い夜を思わせた。最近はこういった、気象のずれや自然現象の違和感が目立つ。接近している小惑星の影響としか思えないのだが、誰もそれを話題にしない。怖くて認めたくないのか、それとも、異常気象と世界の終わりの関係を分析する暇もないのか。

「何がだ」杉田にはさほど恐怖が滲《にじ》んでおらず、それが俺をさらに苛立《いらだ》たせた。

十五畳はありそうな、広いダイニングルームだった。台所が隣にあり、居間とも繋《つな》がっている。長方形の食卓の下には柔らかいカーペットが敷かれていた。居間には横長のテレビが置かれ、オーディオシステムが横に積まれている。透明のガラス戸で覆われたショーケースのようなものがあり、そこに、数々の写真が飾られていた。杉田が有名人と一緒に撮影した、記念の写真に違いない。栄光の写真だろう。吐き気を感じる。他人の不幸に乗じて、辛口アナウンサーなどと呼ばれて悦に入っていた、杉田の自己顕示欲や自己満足が、その写真から放射されている。

「テレビってのは、一般人の起こした小さな事件だとか、芸能人の結婚や離婚はしつこく追いかけるくせによ、世の中がパニックになったとたんに逃げやがって」俺は言った。「知る権利も報道の自由も放り投げてよ。のこのこ、仙台に逃げ込みやがって」

「ここはもともと私の家だ」

「こうなる前は、家族を仙台に残して、東京で暮らしていただろうが。単身赴任アナウンサーだとか、自分で言って、それをネタにもしてたくせによ。結局、戻ってきた。本当は、今みたいに世界が混乱している時こそ、ジャーナリズムの出番じゃねえのか？」

今となっては、ほんの一握りの人間が、細々とニュースを伝える程度だ。

「あと三年で、小惑星が落ちてくるんだ。誰も彼もがパニックになっている。そんな状況で、いったい何ができる。誰がテレビを観る？」杉田は苦しげだった。

「まだ、テレビの放送はある。働いている奴はいる。使命感の差じゃないのか」と兄が言う。

「そういう奴らは他にやることがないんだ。使命感じゃなくて、自己満足だ」

「今まであんたたちは、『テレビには真実を報道する使命がある』と言い張ってきた」

兄が落ち着き払った声を出した。「正義漢面で、犯罪を取り上げた。小惑星の衝突が事実だと分かって以降、世の中は混乱で一杯なんだ。こういう時こそ、仕事をつづけるべきではなかったのか？」

「それは」杉田は目を充血させたまま、言葉に詰まった。それから、自分の左右に座る妻と娘に一瞥《いちべつ》をくれた。彼らの前には、綺麗にソースのかかったステーキ肉が置かれ、食欲をそそる匂いが、緩やかに立ち昇っている。洒落たグラスもあった。杉田と杉田の妻の前には、鮮やかな麦色をしたビールが注《つ》がれ、娘の前には黒い炭酸飲料が泡を立てている。悠長に、贅沢な晩餐《ばんさん》ですか、ビールで乾杯かよ、と俺は腹を立てる以前に、呆れ果てる。

「結局は、あんたたちもテレビどころではなくなったんだろ？」兄は淡々と話しつづける。「一般人たちが次々と会社を辞めて、せいぜい残りの人生を楽しもうと躍起になるのを見て、居ても立ってもいられなくなった。テレビなんてやっている場合じゃない、そう気づいた。あと数年しか人生がないのに、働いているわけにはいかない。そう思った。違うか？　いくら恰好《かっこう》つけようと、しょせんはその程度の仕事だったんだ」

杉田が苦しげに首を振った。「そうかもしれない」

「開き直りやがった」

「あの」とそこで、杉田の娘が口を開いた。茶色い髪を肩まで伸ばした、化粧の濃い、小柄な娘だ。あと三年で世界が終わる、という中で、「将来役に立つ教育」も「未来を担う若者の育成」もないわけで、今では大半の中学や高校が閉鎖になっている。年齢的には、この娘も女子高生なのだろうが、通学しているとは思えない。「あの、どうして、うちにやってきたんですか？」と口調は丁寧語であるものの、怠惰な気配を浮かべた、言い方をした。

「あんたの父親を殺すためだ」兄の返答は素早く、しかも抑揚のない、機械的ともいえる声であったために、俺を含めて全員がすぐに反応できなかった。

しばらくして杉田が、「どうしてだ？」と眉《まゆ》を上げた。額から汗のようなものが垂れる。彼の食卓の上のステーキの脂と似ていた。「報道を投げ出したのは、私だけじゃない。どうして、その中でもわざわざ、私なんだ」

「隕石《いんせき》は関係ねえんだよ」俺は吐き捨てる。

「俺たちは、妹の仇《かたき》を討ちに来たんだ」と兄がつづけた。弟ながらに俺は、彼の無表情にぞっとする。「おまえが、俺たちの妹を殺した」

え、という面持ちで杉田が顔を強張《こわば》らせた。

「おまえが、小惑星で俺たちと一緒に死ぬなんて許せねえんだよ。耐えがたい。その前に、殺されねえと気が済まねえよ」俺は自分で思っているよりもさらに、興奮している。

2

俺たちの妹、暁子《あきこ》が死んだのは今から十年前、つまり、世の中が小惑星衝突のことを知り、ぐちゃぐちゃになってしまうのよりさらに五年前、ということになる。

はじまりは、籠城《ろうじょう》事件だった。

犯人は、三十代の女性で、空き巣の常習犯だった。化粧品会社を依願退職させられたらしい。くさくさした気持ちを解消するためだったのか、それとも再就職のつもりだったのか判然としないが、どちらにせよ大した動機ではなかったはずだ。彼女はある時、盗みに入った賃貸マンションで、たまたま住人と鉢合わせになり、驚くべき行動に出た。住人を拳銃で脅し、そのまま立てこもったのだ。

ただの空き巣の女が拳銃を入手していたことにも驚いたが、それ以上に、大人しく空き巣として捕まっておけばよいものを、住人を監禁して籠城するという、限りなく袋小路《こうじ》に近い道を選んだその思慮の浅さに、俺は呆れた。本来であれば、「そんな馬鹿がどうなろうと知ったことじゃねえな」と気にもかけなかっただろうが、そうはいかなかった。

人質となったマンションの住人が、暁子だったからだ。

「だから、東京の一人暮らしはさせたくなかったのよ」と嘆くお袋を引っ張り、俺と兄は慌てて、上京した。現場の近くに詰め、警察から随時報告を受けながら、状況を窺った。

マンションを警察が取り囲み、テレビでその模様が放送された。事件報道というよりは、祭典の中継のようだった。

犯人の女は明らかに正気を失っていた。常軌も逸していた。「近づいたら、すぐに撃つから」と警察に訴え、三日間、籠城した。

三日目、籠城の終わりは唐突に訪れた。早朝の三時、マンションの入り口から、ふらふらと犯人の女が姿を現わしたのだ。警察が呆気《あっけ》に取られているうちに、自らの頭に銃弾を撃ち、死んだ。俺とお袋はその時間には眠っていたので、肩透かしを食らった気分だった。兄だけが、それを直接見ていた。「あの女、してやったりという顔だった」と舌打ちまじりに言った。思えばあの時はまだ、兄にも感情があったわけだ。

暁子は身体的にも精神的にも衰弱していたが、それでも、俺たちにしてみれば、「無事」に他ならず、三日間の籠城が終わり、これで一件落着だ、生活は元に戻るんだ、と胸を撫で下ろしたが、実際には違った。俺たちの苦痛がはじまるのは、それからだった。福島の自宅に戻った俺たちを、マスコミが襲ってきたのだ。

たぶん、これは俺の想像だが、暁子の外見も関係していたのだろう。色白で身体《からだ》が細く、十九歳にしては大人びていた暁子は、兄としての贔屓目《ひいきめ》を抜きにしても、器量が良かった。やや吊りあがった大きめの目は、知的で強気な印象を窺わせ、尖《とが》った顎が華奢《きゃしゃ》な雰囲気を醸し出し、そのアンバランスさが人目を惹《ひ》いた。

三日間のテレビ中継は、全国に流れたわけで、それを観ていた者たちの中には、暁子を被害者ではなくて、別の対象として見ていた者もいたのだろう。悲劇の美女と捉《とら》えた者もいれば、自分が救うべき恋人と捉えた者もいたに違いない。もしくは、恐ろしい事件に巻き込まれたにしては、強がっている女だな、と嗜虐《しぎゃく》的な気分になった者もいたかもしれない。とにかく異様なほどの関心を、様々な人間たちが、暁子に向けた。

国民の異様な関心に応えるのは、マスコミの役割らしい。

暁子の取材をしようと、テレビ局や週刊誌記者が次々と俺の家に来た。チャイムを鳴らし、ドアをノックし、向かいのビルから無断の撮影を試みた。節操もなく、常識もなく、遠慮もなかった。

俺たちもはじめのうちは、誠実に対応した。いや、正確に言えば、兄が、だ。俺はもともと素行《そこう》が悪く、無愛想だったし、お袋は精神的に消耗していたため、「母さんと辰は、暁子の世話をしていてくれ。外のマスコミは俺が全部、引き受けるから」と兄が請け合った。兄は、可能な限りの誠意をもって応じていた、と思う。そういえばあの時の兄はまだ、俺の名前を、「辰二」と呼ぶのではなく、「辰」と親しげに呼んでくれていた。

マスコミは執拗《しつよう》で、陰湿だった。横暴で、慇懃無礼《いんぎんぶれい》だった。心を痛めた被害者家族をそっとしておこう、という選択肢ははじめからないのか、とにかく、暁子の状態を知ろう、写真を撮ろう、と躍起になっていた。あなたたちに同情すると熱心に訴え、私たちは私たちなりに仕事に誇りを持っていると目に涙を浮かべる記者もいたが、結局、やることは一緒だった。

一部で、「籠城犯人と暁子が知り合いだった」「暁子が犯人の恋人を寝取ったことが原因」など、根も葉もない噂が流れ出したことも、マスコミが去らない理由の一つだった。話題と関心が尽きぬ限り、マスコミの使命感はなくならないのだろう。

「暁子さんの男性関係は、恐ろしいほど派手だった」「監禁中、暁子さんは全裸だった」と挑発するような記事が載りはじめ、犯行当日に暁子が自宅の鍵をかけていなかったことが判明すると、今度は、暁子の不用心が犯罪を誘発したかのような論調にもなりはじめた。自業自得というわけだ。はじめのうちこそ甘い声で擦《す》り寄ってくるが、相手を手なずけられないと分かると、とたんに爪で引っ掻《か》いてくるのが彼らの性質なのだろう。

ある時ついに兄が、テレビ局のリポーターに、「どうして、うちに構うんですか」と憤《いきどお》りの声を発した。たぶん、事件終了から一ヶ月も過ぎた頃だ。「どうせなら、犯人を調べてくださいよ。死んだとはいえ、原因はあちらなんですから。加害者ですよ。被害者のうちを、どうしてそう追いまわすんですか」と、物腰こそ丁寧だったが、怒りをぶつけた。

その模様がまたテレビ番組で映し出された。たまたま、俺たち家族は食卓でそれを見た。見たかったわけではないが、見てしまった。そして、スタジオの番組司会者がこう言うのを聞いた。「そりゃ、面白いからに決まってますよね。死んだ犯人を追うより、この人の家を取材したほうが、面白いですから」『解体新書』の刊行者と同じ氏名を持つ人気アナウンサーは、飄々《ひょうひょう》と言って得意げにカメラに視線を向けた。「被害者面している人間ほど、タフなんですよね」

俺たちは当然、言いようのない怒りを覚え、言葉を失った。お袋がテレビを消そうと、リモコンに手を伸ばした。「ではここで、コマーシャルです」と杉田が言った。ただ、今でもよく覚えているのは、その時に杉田が一瞬だけ、沈痛な表情になったことだ。すぐにコマーシャルの放送に切り替わらなかったため、思わず、自分の正直な感情が表に出てしまった、という様子で、杉田のゆがんだ顔が映った。そして、スタッフに向かってなのか、「悪役はつらいな」と悲しげに、眉をひそめたのが印象的だった。

恥ずかしい話だが、俺はその時、「あ、この男も好きで、攻撃的な発言をしているわけではないのだな」と解釈した。おそらく、視聴者の大半は、そう受け取ったはずだ。

けれど、兄だけは違った。「計算だ」とすぐに呟《つぶや》いた。

「え」

「今のも計算だ。ポーズだよ。偶然、今のコメントが映ったように見せかけているけれど、たぶんわざとだ。悪人をやりながらも、視聴者の共感を得ようとしているんだろう」

俺は、兄の意見に感心し、同時に怒りを感じ、黙り込んだ。暁子はすぐに席を立ち、自分の部屋へ戻った。あの時、あの瞬間に、兄は感情の起伏を失ったのだと思う。冷徹と言ってよい、無表情となった。マスコミの取材にもまったく答えなくなった。口を閉ざし、何を言われようと、無視の一点張りになった。俺はそれまで、「虎一《とらいち》」と友人を呼ぶように兄の名を口にしていたが、それ以降は、「兄貴」としか言えなくなった。内面がまるで見えなくなった兄が怖くなり、気軽に呼び捨てることに抵抗が生まれた。

暁子が自殺をする前日に、最後に喋《しゃべ》ったのは俺だ。俺の部屋にやってきて、おもむろに、「辰二兄さん、あれ覚えてる？　何とかプリズナー」と言ってきたのだ。

「ランナウェイ・プリズナー？」

「そう、それ」

「懐かしいな」子供の頃にテレビでよく観た、ドラマだった。漫画も持っていたはずだが、どこかへいってしまった。

脱走した囚人が、ひたすらに逃げる、というどこかで見たことがあるような連続ドラマで、当時の俺たちは夢中になって観た。殺人の時効が十五年だからか、番組の最後にはいつも、「十五年逃げ切ればいいんだろ？　楽勝だぜ」と決め台詞《ぜりふ》が発せられるのが、パターンだった。今から考えれば酷《ひど》い台詞だが、俺と兄がその真似をすると、暁子は喜んだ。ランナウェイ・プリズナーは刑務所の高い塀から電線に向かって飛び、革の鞭《むち》をその電線に引っ掛けて、ロープウェイのように脱出したので、俺たちはそれを真似しようとしたこともあった。塀から、電線に飛び移ろうとしたのだが、当然ながら親からこっぴどく怒られた。

「わたしたち、どうして逃げてるのかな、悪くないのに」と暁子は冗談めかして、言った。「まるで、あの、何とかプリズナーみたい」

「でもよ、よく考えれば、あのプリズナーはしょせん殺人犯だったんだよな。あんまり応援するんじゃなかった。損したよ」

「結局、最後に捕まっちゃったしね」

あの主人公は、十五年逃げ切ると大見得を切っていたくせに、最終回ではむざむざと刑務所に戻った。俺たちは、「何が、楽勝だぜ、だよ」とがっかりし、「やっぱり、悪いことをすると逮捕されるんだな」と学んだ。いや、それを言うのなら、脱走した時点で時効の適用は関係なくなっていた気もする。

その後で暁子は、「虎一兄さん、何か変になっちゃったね」と俯《うつむ》いた。

「兄貴は、疲れているだけだ」言いながらも俺は、兄の変貌が、疲労によるものではない、と知っていた。睡眠や休養、温泉旅行などで回復するものには思えなかった。過酷な環境に投げ込まれ、人間に裏切られた動物が、温和さを失い、獰猛《どうもう》さを増すかのような、そういう変身としか思えなかった。

「わたしのせいかな」

「違うって」俺は強く否定した。「近いうちに、元通りになるに決まってる」

暁子が部屋を出て行く時、「大丈夫だ。楽勝だぜ」と俺は、あのドラマの台詞を真似してみせたが、妹は笑わなかった。

3

「君たちは、あの、福島の」と杉田は口をぽかんと開けて、驚きの声を発した。太い木の枝のような人差し指を力なく、俺と兄に向けた。

「そうだ、俺たちは、あんたたちが、こぞって取り上げた、タフな家族だ」兄の声は冷たく、相手を射るというよりは、氷のつぶてを投げるかのようだ。

杉田だけでなく、妻も娘も身体を強張らせていた。

「最近、テレビでおまえの顔を見ないと思ったら、すっかり父親面して、家庭ってやつをやってるわけだ」俺は喋れば喋るほど興奮する。「だから、仙台まで、追いかけてきてやったんだ」

「小惑星は三年後にぶつかる」兄がぼそりと言った。「もし、情報が本当ならな。ただ、それでもあんたは、娘と奥さんと一緒に、その最後の日を迎えられるわけだ。小惑星が衝突しようと、家族はある。それに比べて、うちはそれすら、ない。妹も母親もいない」

「お母さんも?」杉田の妻が口を開いた。

「知らなかっただろうが」俺は頬を引き攣《ひっ》らせながら、銃を振る。「あんたたちマスコミは、暁子が自殺したら、急にいなくなりやがったからな」

「妹さんの自殺の後も、取材を続けたほうが良かったのか?」杉田が我慢し切れなかったのか、反論を口にした。

俺は殴ってやろうかと腕を振り上げたが、「やめろ」と兄に止められた。

「いいか、そうは言うがあんたたちはあの時、別に俺たち家族のことを考えて、取材をやめたわけではないだろ。暁子の自殺に後ろめたさを感じただけだ。違うか?」兄が言う。「あんたのあの番組は、視聴者からの非難を喜ぶたぐいの番組だった。賞賛よりも貶《けな》されることで、視聴率を稼いでいた。だから、あんたたちは、暁子が死んで、遠慮したわけじゃない。反省したわけでもない。言ってしまえば、自動車で、たまたま猫を轢《ひ》いたような感覚だったんじゃないのか？『轢いちまった。気分が悪い。この道を通るのはやめようぜ』と。あんたたちはそれと同じで、取材をやめた。それだけだ。だから、俺たちの母親が死んだことも、当然知りはしない。なぜなら、興味がなかったからだ」

俺は聞きながらも、その時のことを思い出した。一時間を過ぎても、風呂からなかなか出てこないお袋を心配し、兄が浴室に向かった。ドアを開き、そして睡眠薬を飲んだまま湯船に沈んでいるお袋を発見した。

「それで、君たちは」茫然《ぼうぜん》とした様子で、杉田が口を開く。

「復讐に来たんだ」兄は静かに答えた。「小惑星に先を越されたら困るからな」

電話が鳴り、全員が一斉に、音の方向を振り返る。電話の置かれたサイドボードは俺のすぐ脇だったので、兄が、「辰二、電話に出ろ」と言ってきた。それから、「余計な動きを見せたら、撃つ」と杉田たちに拳銃を向け、牽制《けんせい》した。言葉の割に、兄には、すぐさま発砲する様子は見受けられない。おそらくは、ただ殺害するだけでは納得がいかないからだろう。俺も同感だった。充分に怯えさせ、自分のやったことを自覚させた上でなければ意味がない。いきなり銃で撃ち殺すのであれば、それこそ、早めに来た小惑星と同じだ。

俺は受話器を上げる。「ああ、杉田さんか」と老いた男性の声が聞こえてきた。こちらが答えるより先に、「渡部だけどな」と馴《な》れ馴れしく、言った。「さっき見たんだが、あんたんところに、変な男が二人入っていかなかったか？　どうでもいいんだが、気になってさ」

「渡部だとよ」俺は受話器を離して、兄を見る。「俺たちがこの部屋に入ってきたのを、見たらしい」

杉田と、杉田の妻が同時に、「ああ」と了解したかのように首を振った。

「誰だ」兄が声をひそめて、訊《き》く。杉田の妻が困惑しながらも、「同じ五階の人です」と答えた。

今日のために、マンションの状況については下調べをしてあった。小惑星が落ちてくるのをじっと待っていられる人間は少ない。一時期は、大半の人間が家を引き払い、当てもなく、移動した。このマンションも例外ではなかったらしく、百世帯はいたはずだろうに、今となっては半分も埋まっていない。五階では、杉田のほかにもうひと家族だけが残り、それが確か、「渡部」だった。

兄も同じことに気づいたらしく、「若い夫婦だったな」と呟いた。

「でも、声はかなり年寄りっぽい」電話の声からはそうとしか思えない。

「きっと渡部さんの父親だ。一年くらい前、父親を呼んで、一緒に暮らしているんだ」杉田が答えた。「とにかく始終、屋上で作業をしている人で。日曜大工なのか、大きな荷物を運んで、行ったり来たり。だから、その時に、君たちを見たのかもしれない」

屋上で何を作っているんだ、と俺は吐き捨てる。方舟《はこぶね》じゃねえだろうな。

「おい、聞いてるか、おい」受話器の向こう側で渡部が騒ぐ。

「兄貴、どうする」俺がもう一度、相談すると、兄はつかつかと寄ってきて、受話器を取った。何を言うのかと思ったら、「俺たちは、この杉田の家に立てこもっている」と言い出した。「籠城している。いいか、どこでもいい、テレビ局を呼ぶんだ。仙台にどこか、テレビ局が残っていれば、下から、この部屋のことを放送させろ」

受話器を置くと、室内が静まり返った。杉田の妻が不安そうな面持ちで、俺や兄を眺める。娘のほうはといえば、肩をすくめて、食卓のスープ皿を眺めているだけだ。

「兄貴、テレビ局って」

「こいつにも、同じ気持ちを味わわせてやるんだ」兄は、杉田を銃で指した。「カメラの注目を浴びさせる」

「今時、テレビを観ている奴らなんていない」杉田が口元をゆがめた。

「関係ない。とにかくあんたも、カメラのこっち側に立ってみろ」

「でも、兄貴、今のじじいが警察に通報するかもしれない」

兄は平然としたものだった。「ありうるな」とうなずき、そうなったらなったで構わない、と言った後で、「辰二、窓から離れてろ。警察が撃ってくる可能性もある」と窓ガラスのカーテンを指差した。「最近の警察はもう容赦も遠慮もない」

確かにそうだ。滅多なことでは拳銃を発砲しない、そういう警察の温厚な態度は昔のものだ。五年前、世界の終末が判明した時から、そんな悠長な状況ではなくなっている。犯罪が街に、国中に、溢《あふ》れ出したからだ。自暴自棄になった者たちが商店街を荒らし、窃盗や放火が蔓延《まんえん》した。騒動は恒常的に、日常的に起きたし、車道は渋滞で固まった。自然、警察も暢気《のんき》なことはしていられなくなり、治安を守るために、乱暴な手段を容赦なく取るようになった。

つまり、緊急性のある事件ならすぐさま犯人を射殺するし、さほど重くない罪でも次々と刑務所へ送り込む。刑務所はすでに、犯罪人を押し込めるだけの収容所と化している。人権を訴える人間はほとんどいないから、環境はとてつもなく悪いらしい。

ただ、結果的にはその、極端な厳罰化が効を奏しているのかもしれない、と俺は思っていた。緩やかにではあったが、犯罪は減り、街は鎮まった。今年に入ってからは不思議なことに、何事もなかったかのような穏やかな日々が続いている。

「ひと段落ついたんだな」兄がそう言ったことがある。「パニックを起こす人間はひと通り、いなくなった。自殺をするか、移動をするか、もしくは捕まった。だから、穏やかになったんだ。それに、そろそろ気づきはじめたんだろう、あと三年しか生きられない今、一番賢いのは平和に暮らすことだとな」

4

兄がこの復讐のことを口に出したのは、半年ほど前だった。福島市内を含め、周囲が、潮が自然と引くように、落ち着きはじめた頃だ。それまでは俺も、毎日、出現する通り魔や強盗をやり過ごしたり、自分の家を放火犯から守ったりで精一杯だった。左隣の山田家は押し込み強盗により殺害されていたし、右隣の佐藤家は一家で心中を計った。俺は、混乱する社会の中で正気を維持するのに必死だったが、兄は違ったらしい。「辰二、どうする」と訊ねてきた。

「どうするって何が？」

「あいつ」兄はそう表現した。「あいつのことだ」

「あいつ？」それはてっきり、小惑星のことを擬人化して呼んでいるのかと思った。

「杉田。あのアナウンサーだ」

「ああ」その瞬間、俺の腹の底から、ぶわっと噴き出してくるものがあった。沸騰した湯の、あぶくが割れるような、噴出だ。暁子が首を吊ったロープや、お袋が沈んだ湯船、テレビに映し出される杉田のにやけた顔、それらの記憶が、黒々とした粘り気のある塊《かたまり》とともに溢れ出た。腐臭をともなってもいる。「あいつか」

「今はもう、仕事を辞めて、仙台に引っ込んでいるらしい。残りはゆっくり家族と暮らすつもりなんだろう」

「兄貴、調べてたのか」

「どうして忘れられる」

兄の口ぶりを聞いて俺は、小惑星のことで世の中が浮き足立って、生きるのに必死になってる時に、彼だけは黙々と復讐のことを考えていたのだと、分かった。ただ、最初は俺も、「でもさ」と抵抗を示した。何も今さら、という気持ちがなくもなかったからだ。放っておけば、あと三年で世界が終わるというのに、わざわざ自分たちの時間を割いて、杉田に関わる必要もない気がしたのだ。

けれど、その後に兄が持ってきたビデオテープを見て、気が変わった。

驚くべきことに兄は、杉田が司会をやっているテレビ番組をすべて録画していたらしい。なぜなのか、と疑問に思うよりも、冷たい執念とも評するべき、その粘着質な行動力に驚かされた。「これは、暁子が死んだ日の、あいつの番組だ」兄はそう言うと、テープを再生した。

番組では、冒頭で、暁子の自殺を簡単に取り上げたが、すぐに何もなかったかのように、別のニュースを流した。そしてまたしばらくすると、杉田が手品師の恰好をし、下らないマジックショー紛《まが》いのことをはじめた。

「あの時のマスコミの奴らには、一人残らず腹が立っている。ただ、この杉田はとりわけ、許せない」ビデオの放送を眺めながら、兄は宣言した。

画面の中では、杉田が大きめの、頑丈そうな段ボールに膝を抱えて入っていた。上から布がかけられる。仰々しい音が鳴る。照明がつき、段ボールの蓋《ふた》を開けると、杉田が消えている。下らない手品だ。どうせ、二重底にでもなっているのだろう。

「辰二、許せるか？」と兄は、俺に訊ねてきた。画面には、杉田の満面の笑みが映っている。兄はリモコンを操作し、ビデオテープを早送りした。番組の終了前の画面が再生される。そこで司会者の杉田はおもむろに悲痛な表情を浮かべ、「不幸な事件の後に、手品ショーとは不謹慎かとも思ったのですが」とコメントを口にした。

「狡猾《こうかつ》だ」兄が言った。「形式だけの反省だ。自分には悪意がない、と見せかけているんだろう。念入りで、狡猾で、こういう奴は、自分だけはうまくやっている、と思い込んでるんだ。この男を、世の中があと三年だからって、許すのか？　小惑星に任せるのか？　俺は嫌だ。俺は許さない。杉田だけは許さない」

俺は同意した。言われてみればそうだ、と強く首を振り、兄に諭されるまでその気にならなかった自分を恥じた。妹や母は十年も昔に死んでいるのだ。杉田の人生が、残り三年もあるなんて、そのこと自体が信じがたい。「許すわけねえよ。兄貴の言う通りだ」

5

気づくと、杉田の妻が啜《すす》り泣きをはじめていた。顔を食卓に向けたまま、涙を浮かべている。顔の皺《しわ》がくっきりと目立つ。萎《しぼ》んだ果実のような、哀れさを感じさせる老け方だ。

「泣いても、許されない」兄がはっきりとした声を発する。「暁子の時、俺たちは、その何倍も泣いた」

何倍、は嘘だ。何百倍だ。

杉田の妻が小刻みに、同意を示すかのように首を振ったが、それは単に、恐怖のあまりそうしているだけに感じられた。俺たちの怒りを本当に理解しているとは到底、思えない。

そこで突然、杉田の妻はスプーンに手を伸ばした。この状況でまさか食事をはじめるのではないだろうな、と思っていると、驚くことに、彼女はスープ皿にスプーンを入れた。ぽろぽろと涙を零《こぼ》しながら、口を開く。

「何してんだよ、てめえ！」俺はすぐに歩み寄って、杉田の妻の椅子を蹴った。「こんな時に、夕食を楽しむなんて、どういう神経だ」

音を立てて、杉田の妻が転がった。椅子ごと横に倒れた。スプーンが飛んだ。俺は銃を向ける。「何考えてんだ」

皿がひっくり返り、食卓とカーペットにスープが広がった。兄はじっと黙って、杉田の妻が起き上がるのを眺めている。

「おい、てめえもか！」俺は正面の、杉田の娘が目に入り、反射的に怒鳴っていた。慌てて銃口を向ける。杉田の娘がおもむろにフォークをつかんで、ステーキ肉に突き刺したからだ。「食ってる場合かよ」

娘の脇にいた兄が、娘の手を思い切り叩いた。「痛」と娘が声を上げ、やはり、フォークが飛んだ。兄は食卓の上の料理を見つめていた。「おまえたち、ふざけているのか」と兄は無表情ながらに、怒りを露《あら》わにした。

「やめろ」と言ったのは、杉田だ。妻と娘を交互に見て、「よけいなことはするな」と真っ直ぐに言った。頬を引き攣らせている。

「お父さん、どっちにしても一緒だよ」娘がはじめて、はっきりとした台詞を口にした。目を吊り上げ、興奮気味で、拳《こぶし》にした両手をテーブルの上に置いている。「どうせ死ぬんだから」

俺はそれを聞きながらふいに噴き出しそうになった。彼女の言い分は、「どうせ死ぬんだから、ステーキくらい食べてもいいじゃない」という主張に聞こえた。

杉田の妻が背筋を伸ばしたまま、肩を震わせる。目をぎゅっと瞑《つむ》ったせいか、溜まった涙が水滴となって絞られ、目の端に出る。泣くくらいなら、夕食は諦めればいいだろうが。

6

二度目の電話はその直後に鳴った。俺は、兄の指示を待つこともなく、すぐに受話器を耳に当てる。

「おまえたちの要望は何だ」先ほどの渡部の声とはまるで違い、緊張感のある太い声が聞こえた。確認するまでもなく、これは警察だろうな、と俺にも察しがつき、だから、受話器の口元の場所を手で覆い、「たぶん警察だ」と兄に伝えた。

杉田たちの身体が、期待のためなのか、怯えのためなのか、ぶるっと震えるのが横目に見える。

「要望を言え、だと」

「代わる」と兄が寄ってきた。俺は受話器を手渡してから、食卓の杉田たちを窺う。三人が顔を見合わせているのが見えた。言葉は発していなかったが、俺には、彼らが目で打ち合わせをしているように感じられた。だから、「おい、何してんだ」と拳銃を突き出した。もう撃ってもいいのではないか、そう思った。放っておくと、良からぬことが起きるような予感がある。

そもそも、警察がまともに今も存在していること自体が、俺には信じがたい。

小惑星の騒ぎで混乱が起きた時、各地で起きる暴動を抑えようと最初は自衛隊が鎮圧に乗り出した。問答無用の力ずくで混乱を鎮めようと、様々な作戦を発動したらしいが、一般の人々の死への怯えと自棄《やけ》くそは、国や自衛隊の想定を遥かに超えていた。反撃を食らい、機能を果たせなくなった。今や、福島の街にも壊されたジープや動かなくなった装甲車両が転がっている。

けれど、警察はまだ仕事をしているらしい。信じがたいが事実、警察官の姿は何度か目撃した。果たして彼らを衝《つ》き動かしているのは、使命感なのか惰性なのか、俺には判然としない。

兄は電話に応じながら、身体を壁に添わせ、カーテンをめくり、ベランダに向いた窓ガラスから外に目をやった。幾分、空は暗くなりはじめたが、まだ夜の趣《おもむき》はなく、白々とした印象がある。

「俺たちは、ここに住む杉田を撃ち殺したいんだ。とりあえず、十分後、こちらからかけ直す。それまで待っていろ」兄は言った後で受話器を戻した。無茶苦茶な応対だったが、無茶苦茶な世の中には相応《ふさわ》しく感じられた。「ずいぶんパトカーが来ているな」と俺に言う。「小さいテレビカメラを担いだ男もいる。信じがたいよな。世界の終わりとは思えない。まだ、報道に打ち込む人間も少しはいるってわけか」

「テレビなんて、屑《くず》だ」肩を落とした杉田が、ぽつりと洩《も》らした。

それはまさに、教会に駆け込んだ少年が自らの犯罪を告白するかのようなあどけなさを含んでいて、俺はぽかんと口を開けてしまった。けれどすぐに、はっとし、「テレビが悪いわけじゃねえだろうが、おまえが屑なんだろうが」と声を張り上げた。

「いいか、俺たちは別に、あんたに反省をしてもらいたいわけじゃないんだ」兄がすぐさま、言う。「追い込まれて反省するのは誰でもできる。あんたはもっと前に、俺たちがやってくる前に、小惑星が見つかる前に、反省すべきだったんだ。もう遅い。これは最後のチャンスじゃない。ただの最後、だ」

「兄貴、どうする？」

「十分もあれば、撃つのには充分だ」

「警察は大人しく待っているのか？」

「さあな。窓から見ると、このマンションの住人を避難させているようだったからな、強硬な手段に出てくるかもしれない」

「強硬な？」

「このご時世、警察がやるのは無視か実力行使だ。治安を守ると決めたら、荒っぽいこともやる」

「ちょっと待ってくれ」杉田が唇をぴくつかせながら、訊いた。「娘と妻も殺すつもりか？」

「どっちでもいい」兄のその冷徹な物言いは賞賛すべきかもしれない。「あんたに任せる。正直なところ、俺はあんたのことほどには、あんたの家族を恨んではいない」

「そんなことをして、妹さんやお母さんが悲しみませんか」杉田の妻がそこで唐突に、涙を拭《ぬぐ》いながら、ぼそっと呟いた。「こんな決着のつけ方では、きっと喜ばれないんじゃないでしょうか」

兄は答えなかったし、俺も眉をしかめただけだ。答える必要を感じなかった。馬鹿なことを言うな、と思った。

「だが、私を撃って、どうする？」杉田が、兄を見上げた。「逃げる自信があるのか？」

「ご心配なく」兄が言う前に、俺が答える。「後のことなんて知ったことじゃねえんだ。どうせ、世の中はあと三年だ。警察も殺人犯一人を熱心に追う余裕もない」

「ただ、犯罪者を処罰しようと執拗に追い回す刑事や警官がいるという噂を、私は聞いたことがある。それこそ、治安のためや法律のためといった目的ではなくて、もっと、歪《ゆが》んだ正義感で」

「おまえが何を心配しているのか分からないが、俺たちは、おまえより後に死ねるなら満足なんだよ。警察に追われて、撃たれようが、投獄されようが、構わねえ」強がりではない。本心だった。

「そんな」と杉田は悲しげに、頰の肉を垂らす。「そんなことを」

「兄貴、俺が撃っていいか」

「ちょっと待ってくれ、その前に私の話を」杉田が往生際悪く、手のひらを出した。

「反省が遅い」兄が言う。玄関の外で、物音が響いた。

7

兄が、玄関へつづく廊下を見やった。「警察がそこまで来てるのかもしれない」

「警察が？」

「突入の準備かもな」

「ちょっと見てくる」俺は言い残し、拳銃を構えたまま、廊下に出た。電気の消えた廊下は少し薄暗かったが、爪先立ちになり、足音が鳴らないように気をつけながら、玄関へと真っ直ぐに進んだ。誰かいる。複数だ。囁《ささや》くような人の声と、動き回る靴の音が外の通路に響いている。三和土《たたき》に足を踏み出し、息を止め、ドアの魚眼レンズに顔を寄せた。気配を感じ取られたら、そのまま向こうから発砲されるのではないか、と想像し、毛が逆立つような恐怖を感じた。家の住人か犯人か分からないうちに撃ってくることはあるまい、と思うが、それは楽観的に過ぎたかもしれない。このご時世、警察に余裕もモラルもあるわけがないのだから、トラブルに収拾をつけるためなら、少しくらいの一般人の犠牲は気にしない可能性もある。

魚眼レンズ越しに向こう側を見る。制服を着た者たちがいた。薄暗い色のヘルメットや防具を着た警察官たちだ。小さな隊列を作るように、並んでいる。一人が、大きめの電話のようなものを耳に当てている。こそこそ、こんなところで待機しやがって、と腹が立つがその一方で、残り三年しかない人生をこうやって、社会の治安のために費やそうとしている彼らは尊敬すべきかもな、と感じた。

俺はゆっくりと魚眼レンズから目を離し、神経質な動作で一歩退《ひ》こうとしたが、その時に、警察官が何か喋るのが聞こえた。慌てて、耳をドアにつける。

「五〇一の住人がまだ、出ていないそうです」隊列の中の誰かが口にした。

「早く、避難させろ」と別の誰かが返事をする。

「まだ、父親が屋上にいるとかで」

「急がせろ。撃ち合いになったら、危険だろうが」

俺は再度、魚眼レンズから警察官の顔を窺う。心なしか、目が輝いている。なるほど、と思った。なるほど彼らは、使命感によって仕事をつづけているのではなく、武力や暴力を遠慮なく発揮できるこの状態を楽しんでいるだけなのだ。彼らは嬉々《きき》とした表情を浮かべ、銃を握っていた。警察官たちも、自分たちの恐怖や苛立ちを誤魔化すために、仕事を続け、犯罪者たちを追い回しているのかもしれない。そう思うと、ドアの向こう側の警察官が、トラブルに乗じて、大騒ぎをするのを待ちかねているスポーツの応援団か、もしくは、猛獣たちにも思える。

俺は爪先立ちで後退《あとずさ》り、ダイニングへと戻る。

「やっぱり、警察だ。銃を持っている。指示があったら、すぐさま飛び込んでくるつもりだ。ただ、まだ五〇一号室が避難してないって零してたからよ、時間はかかるかもしれねえな」と兄に報告する。

「渡部さん」杉田の妻が、五〇一号室の住人の名を洩らす。

「よし」兄は低く言って、持っている拳銃を構えた。撃鉄はすでに上がっている。横にいる杉田の頭に、銃口を押し当てた。「あんたも自分がどれだけまずいことをやっていたのか、もう分かったか？　テレビの司会者というのは大役なんだ」

「私も」杉田が目を瞑り、恐怖を堪《こら》えるかのように肩を強張らせた。「私もつらかったんだ」

杉田の妻と娘が、悲鳴とも嘆息ともつかない、掠《かす》れ声を同時に発する。

「静かにしてろよ、おまえたち」と俺は念を押す。

「あんたのは全部ポーズだった。ふりをしていただけだ」兄は容赦なく、「もう終わりにする」と引き金に指をかけた。

俺は知らず、呼吸を荒くし、肩で息をしていた。口の中が乾燥する。意識するよりも先に俺は、食卓のテーブルに寄り、杉田の脇に立ち、コップに手を伸ばした。緊張している実感はなかったが、喉《のど》が渇く。

コップを口に当てた。息を整えて、ビールを飲む。

いや、飲めなかった。コップを傾けた瞬間に、突き飛ばされていたのだ。

隙を見せたつもりはなかったのだが、杉田の娘が椅子から立ち上がり、俺にぶつかってきた。ビールの雫《しずく》が宙に飛ぶのが、ゆっくりと見えた。俺は床に倒れ、膝を突く。頭にかっと血が昇る。拳銃を右手に持ち替え、大慌てで構えた。「てめえ、ふざけんじゃねえぞ」杉田の娘を見上げ、眉間《みけん》を狙う。娘はひどく真剣な目で、深く呼吸をしながら、肩を揺らしている。俺は片膝を立ててから、体勢を直す。「杉田だけじゃなくて、兄貴、こいつらも撃つぞ」

「そうだな」と兄が答えてくる。

「おまえら、往生際が悪いんだよ。警察が来てるからっていい気になってるんじゃねえぞ。そこまでして助かりてえのかよ」俺は怒鳴った。もしかすると、部屋の外でこの声を聞いた警察官たちが、飛び込んでくるかもしれない、と不安が過《よ》ぎったが、我慢はできない。

「助かりたいんじゃないんです」室内に隙間風が通るような、静かな声が聞こえた、と思ったら、杉田の妻が口を開いていた。

「何言ってんだ」俺は首を傾《かし》げる。

「わたしたち、死ぬつもりだったんです」

8

俺と兄は、しばらく言葉を発せられなかった。玄関のほうから軽いざわめきのようなものが聞こえた。おそらくは、俺が倒れた音や俺の出した声に、外からも異常事態を察したのだろう。探るような、ノックが響いた。大丈夫ですか、と隣人を装った声もする。早く突入して暴れたいのですが、とでも言ってくるようにも思えた。

「死ぬつもりとはどういうわけだ?」兄は混乱や動揺は見せていなかった。が、さすがに状況は把握できていない。

杉田の娘は、俺を突き飛ばした直後と同様に、立ったままだ。俺は立ち上がって、杉田の妻が答えるのを待ったが、彼女は、杉田に視線を向けていた。それに促されたかのように、「君が飲もうとしたコップには」と杉田が話しはじめた。

「何だよ」俺は睨《にら》む。

「毒が入っている」

予想もしない答えに俺は首を伸ばし、兄と見合ってしまった。それから、カーペットに染みている、ビールに目をやった。「毒?」とこれは、俺と兄の声がちょうど重なる。

「わたしたち、今日、死ぬつもりだったんですよ」杉田の妻が俯き気味に、声を洩らした。

「心中?」俺は首を捻《ひね》った。

「料理にも、ビールにも、毒が入ってるから」杉田の娘は仏頂面に近い表情を見せた。それから、毒の名称を口にしたが、化学的な記号の羅列のようで、俺の耳には入ってこない。

「どうして死ぬ必要がある」と兄が訊ねた。

杉田たちの中で、目だけの家族会議を開催するような間があった。杉田が堪えていた恐怖を溢れさせるように、顔をくしゃくしゃにした。「耐え切れなかったんだ」

「小惑星で死ぬくらいなら、自分たちで死んだほうがましですから」杉田の妻が言う。

「こんな世の中で、生きていく意味がありますか?」一番、淡々としていたのは、杉田の娘だったかもしれない。

「おまえたちな」俺は考えるより先に言葉を発していた。「ふざけるんじゃねえぞ」と言ってから、どうして、ふざけるんじゃない、のか理由が見つけられず、困る。

「取ってつけるわけではないんだ」杉田が頬を引き攣らせ、降参するかのように両手を挙げ、兄を見た。「ただ、私も、能天気にあのテレビの仕事をしてきたわけではない」

「何だそれは」兄の冷たい言葉が出る。

「罪の意識に苛《さいな》まれているんだ」

「罪の意識？」俺は、杉田にはその台詞を口にしてほしくなかったのかもしれない。ついにそれを言われてしまった、とでもいうような落胆に襲われた。

「テレビは屑だ」杉田はまたそう言って、それから気づいたように、「いや、私は屑のテレビ屋だった」と言い直す。「行きすぎていた。君たちの言う通り、地球が終わると分かったとたんに、逃げ出した。それで気づいたんだ。どんなに恰好つけていたとしても、結局私の持っていた使命感なんて大したものではなかった」

そして杉田は一年前に、どこか安全な土地はないか、と仙台を出て、家族で移動を行ったが、結局、どこもかしこも混乱だらけで戻ってきた、という話をした。「この期《ご》に及んでも、どうにか助かる道を探している自分が急に醜く見えた」とも明かす。

「おまえのテレビ番組のどこに、使命感があった？　弱者を茶化して、覗《のぞ》き見の野次馬たちの先頭で、旗を振っていただけじゃねえか。手品師の真似をして、何が、使命だ。

笑わせるなよ」俺はどんどん早口になる。

「確かにそうだ」杉田は、痛いところを突かれた表情を浮かべながらも、「ただ」と噛《か》み締めた口から零す。「ただ、私も必死だったんだ。ああいう番組では、何らかの過激性が求められる。すべてが私の意向だったわけではない」

「意向だったんだよ」俺は声を張り上げる。「おめえみてえな奴は死んじまえばいい」そしてその一方で、番組の中で、杉田が一瞬だけ見せた、苦しげな表情を思い出した。

「だから、死ぬつもりだったんだ」杉田が言う。むっとした様子もなければ、先回りをした優越感もない。

「どうして、あんたも一緒に死ぬんだ？」兄が、杉田の妻に目をやる。「あんたもだ」と娘にも。

「わたしももうどうでも良くなったからですよ」娘がぼそぼそと、生気を失った目で答えた。「どうせ、三年で死んじゃうんですし。それに」と自分の父親に顔を向けた。「わたしもお父さんの仕事大嫌いだったから。子供の頃から。品がないし、人の悪口ばっかり言っていて」

杉田がその時はじめて、しょげるように肩をすぼめた。

「わたし、その、あんたたちがさっきから言ってる、暁子さんって人のことも気の毒だと思ってたんです。だから、お父さんが死のうって言い出した時も、それでもいいかもって」

「だからといって、心中するのか。勝手だな」兄は蔑《さげす》みの声を、杉田に投げる。「最低だ」

「最低だから、死のうと思ったんだ」杉田がまた、言う。

「で、さっきは、殺されるくらいだったら、自分たちでさっさと毒を飲んで死んじまおうと思ったのかよ」俺は、料理に手をつけようとした、杉田の妻と娘に言う。

「あなたたちに罪を犯してほしくなかったんです」杉田の妻が細い声を出した。「だからその前に、わたしが自分で」

「いや、それはまずいんだ」横から杉田が、妻に言う。「もし、この状況で私たちが毒を飲んだら、警察は彼らを疑う。この部屋に残っているのは、彼らだけなんだから。今、私たちが死ぬのは、それはそれでよくないんだ」

「あんた」兄が静かに口を開いた。「どうして今日なんだ?」と質問をする。「どうして今日、心中するつもりだったんだ」

予期しない展開に混乱していたとはいえ、その質問の意図を、俺はすぐに分かった。それは、俺たちが今日、この家を襲ったのと同じ理由かもしれなかったからだ。

案の定、と言うべきだろうか、しばらく思い屈する間を空けてから、杉田が答えた。苦しげに、「今日は」と、その答えを発した。「今日は、君たちの妹さんの死んだ日だからだ。どうせ死ぬのなら、と。もちろん、こんなことで、許してもらえるとは思っていないが」

「そうとも、許されるわけがない」兄の言葉はひんやりとした鉛を思わせる。

9

「兄貴」俺はどうしていいか分からず、縋《すが》るような気持ちも込めて、言った。ちょうど同じタイミングで、玄関が叩かれた。遠慮しつつも、焦燥感と威嚇《いかく》を込めた荒々しさだ。「杉田さん」と先ほどよりも語調を強めた調子だった。杉田さん入りますよ、の最後通告にも思える。

杉田は椅子に座ったまま、握った拳を膝に置き、首をなくすような恰好で下を向いていた。罪を告白し、刑の執行を覚悟した囚人のようだ。

兄はしばらく、口を閉じたままだったが、「辰二」と少ししてから、俺の名前を呼んだ。

そしてそれを待っていたかのように、サイドボードの電話が鳴りはじめた。けたたましくも忌々《いまいま》しい甲高い音が響く。杉田ははっと電話を振り返り、不安そうに俺に視線を寄越した。杉田の妻と娘は電話機を見つめている。

「辰二、やめだ」電話の呼び出し音など聞こえないかのように兄は言ってきた。心なしか、彼の顔つきには、体内に充満していた毒素を、発汗や放尿によってすっかり排出したかのような、晴れやかさがあった。

「やめ？」

「死にたいこいつらの望みを叶えるなんて、ごめんだ」兄は、杉田のこめかみに、ぐいぐいと銃口を押し当てた。「あんた、本当に悪いと思ってるんだったら、逃げるなよ。あと三年、生き延びてみろよ。毒で死ぬなんて、楽なことを考えるな」

杉田が途方に暮れた表情になる。杉田の妻も混乱を隠そうとしていない。俺だって、訳が分からなくなっている。死ぬな、とはどういうことだ。

「簡単に死ぬなよ。小惑星が落ちてきても、最後まで生き残ってみせろよ。生き延びろ。苦しんで死ぬんだ」そして、構えていた拳銃に左手を添えると、撃鉄をゆっくりと戻した。

電話が鳴りつづけている。癇《かん》に障る単調な音ではあったが、俺はそれに出るつもりはなかった。

杉田たちの反応は複雑なものだった。救われたとも救われないともつかない表情で、家族三人で顔を見合わせている。心中の決心が蒸発したかのような、憑《つ》き物の落ちた雰囲気はあるが、解放された面持ちでもない。実際、彼らは救われてはいないはずだった。

小惑星による死を三年後に控え、世界中の誰もが救われない。自殺という退路を閉ざされた彼らが救われたとは言いがたい。

杉田が泣き出していた。恥ずかしげもなく涙を見せている。悲しいからか、嬉しいからか、それとも自分自身の惨めさと醜さにようやく気づいたせいなのか、泣いている。情けない、と俺は舌打ちをした。けれど、銃で撃つ気は失《う》せていた。

「兄貴」

「辰二、もういい。こいつらを殺しても喜ぶだけだ。俺たちは、こいつらを許さない。簡単に殺してはいけないんだ」兄は、自分自身に言い聞かせるようでもあった。「そのことに気づいた」

電話とノックの音は鳴りやまない。勢いは、次第に激しくなるかのようだ。

そこで杉田が両手で自らの頰を叩いた。自分を鼓舞《こぶ》するかのようだった。目をぎゅっとしばたたかせ、兄に対して、「君たちは」と震える声で言った。「君たちはどうするんだ」

「どうするも何も」というのが俺の答えだ。おまえを撃ち殺すことしか考えていなかった。兄も同じはずだ。果たして兄は、「俺たちはどうでもいい」と答えた。「用事は済んだ。帰るだけだ」

「外には警察がいる」杉田が言う。

杉田の妻が心配そうに、「最近の、警察は容赦ないから」と口を開く。

「捕えた犯罪者は鬱憤晴らしでリンチされるって聞いたことあります」と娘が言った。

「知ってるさ。捕まろうが、撃たれようが変わらない」と兄が言う。

「そんな」と杉田は泣き言を零すようだった。

「わたしたちが説明しますよ」杉田の妻が申し出た。「警察に、あなたたちの無実を説明します」鳴りつづける電話の音に負けまい、と彼女の声も高くなっている。

「さっき、俺たちは電話で、あんたたちを撃ち殺すと宣言してるからな。今さら、信じてもらえるとは思えない」兄は肩をすくめる。「今の警察なら、疑わしきは罰する。誰だっていいんだ」

兄は意味深げに、俺にうなずいてみせた。言いたいことは分かった。打ち合わせてはいなかったものの、俺たちの考えは同じはずだった。用が済んだら、終わりにする。捕まるくらいなら、撃たれて死んだほうがましだ。このまま、飛び出すほかない。まあどうせ、身体に撃ち込まれる銃弾ってのも、小さな隕石みたいなもんだろう。

ようやく電話の音がやんだ。急激に室内に静寂が甦《よみがえ》る。また、かかってくるはずだ。

俺は胃に痛みを感じる。杉田と杉田の妻、杉田の娘、三人の鼻息が同じリズムで聞こえた。

「風呂場」そう言ったのは、杉田の娘だった。立ち上がり、廊下を指差した。「うちの風呂場の天井って、強引に押すと開くでしょ？　通風孔というか、何か、汚いけど、ずっと繋がってるじゃない」

玄関のドアがまた叩かれている。今度は遠慮なく、ドアノブまで回されはじめた。

「それがどうかしたのか？」と杉田が首を捻った。

「そこから逃げたら？」娘は笑いもしなければ、自慢げでもない。「わたしたちがしばらく、とぼけてれば警察も押し入ってこないよ。その間に、風呂場の天井から別の部屋に逃げればいいんじゃない？」

「その別の部屋からどうやって逃げるんだ」杉田は問いかけるが、否定するようでもない。

「渡部さんに電話してみれば？」と今度は杉田の妻が言い出した。「まだ部屋にいるかもしれないですよ。話せばきっと協力してくれますよ」

「ああ」と杉田が小刻みに首を揺らした。

何が、ああ、だ。俺は彼らの会話を聞きながらも話の流れが読めなかった。

「だが」杉田は腕を組んだ。「渡部さんの部屋からどうやって、逃げる」

「いったい何を話しているんだ」兄が語調を強くした。「頼んでもいないのに、俺たちを逃がす話を相談するな」

同感だった。彼ら家族が、顔を寄せ合って、クロスワードパズルを解いているのを傍観しているような、取り残された気分だ。

そこで杉田が手を叩いた。「あれだ」と高い声を上げた。

「あれだ？」俺は、杉田を胡散《うさん》臭げに見つめる。

「私が昔テレビで使ったやつがある。手品で使った段ボールだ。二重底になっているんだ。一人ずつなら、入れるぞ。ここから風呂場の上を伝って、渡部さんの部屋に行く。そこから一人ずつ段ボールに入って、荷物のふりをして外に運んでもらう。どうだ、できなくはない」

おまえ何言ってやがる。俺はそう罵《ののし》る。

10

兄がどういうつもりで、その案を受け入れたのか理解できなかった。けれど、杉田の家族が提案してきた脱出の方法に、兄は乗った。つまり、俺も乗った。

浴室で、俺たちは天井を見上げている。杉田の妻と娘は、浴室の外に立っていた。

「うまくいく可能性は低いな」兄は達観した口調だった。

「きっと大丈夫」杉田は目を充血させ、畳んだ段ボールを俺に手渡した。それを持ったまま、この天井裏の通路を這《は》っていけ、ということだった。「このまま、西に行った突き当たりが五〇一号だ。渡部さんには頼んでおいた。渡部さんとお父さんが、荷物を装って、一人ずつ運び出すことになっている」

「その渡部という男は、どうして協力してくれる？」兄が訊ねた。

「渡部さんのお父さんが以前、言っていたんだ。こんなご時世、大事なのは」と杉田は答えた。「常識とか法律じゃなくて」といったん言葉を切り、子供が悪戯《いたずら》を仕掛けるような顔つきになったかと思うと、「いかに愉快に生きるかだ、と」と片眉を上げた。

「行ったら、警察が待っているってことはねえよな」俺は冗談まじりに言ったが、すぐに、それならそれで構わねえか、と感じた。

「うまくいくように祈ってる」杉田が、兄の手を握った。両手でしっかりと力を込めている。「そして、私が図々しく生き残るのを見届けてほしい。私が逃げないのを、確認してほしいんだ。あと、三年、君たちも生きていてほしい」そうして最後に、「お願いします」と深々とお辞儀をした。「絶対に捕まらず、そして、死なないでください」

兄はじっと杉田を見つめていたが、俺の後ろにいる彼の家族を確認してから、「別に俺は、あんたたちを許すつもりはない」と言った。それはこの十年、彼が被《かぶ》りつづけてきた、鉄仮面のような冷たい反応だった。けれど次に、「ただ」と言った時、その堅牢強固としか言いようのなかった無表情が、やんわりと解《ほど》けたのを、俺は見逃さなかった。

兄は、俺に目を向け、やがて、こう言った。「三年逃げ切ればいいんだろ？　楽勝だぜ」

それはまさに、まだ子供だった暁子に向かって、テレビドラマの主人公の酷い決め台詞を真似た、あの兄そのものだった。「なあ、辰」と彼は親しげにつづけた。「虎一」俺は思わず、昔のように、呼んでいる。

冬眠のガール

1

カーペットに寝転がり、仰向けで読んでいた文庫本を閉じる。首を傾け、柱にかかった時計を見た。そばにあるサインペンで、文庫本の最後のページに今日の日付を横書きにする。隣に、「11：15」と時刻も加え、最後に、「読了」と書くと、胸に暖色の風が流れ込んだような気分になる。

本を膝の脇に置き、両手を真上に伸ばして拳《こぶし》を作る。誰に見せるわけでもないけれど、「やりました」とガッツポーズを取った。

立ち上がった後で、居間からダイニングを通り、廊下を進み、玄関の手前で左の部屋に入った。お父さんがいなくなって四年も経つのに、いまだに入る前にはノックをしてしまう。

「ほんと書斎って感じだねえ。美智《みち》のお父さんって読書家なんだあ」中学校に入ったばかりの頃、はじめてわたしの家に遊びに来た同級生の子が、この父の部屋を覗《のぞ》いて感嘆の声を上げた。十年ほど前のわたしは、恥ずかしいことに、「書斎」の意味も分からなくて、東洲斎だとかそういう名称の一種だろうな、と勝手に想像し、話を合わせた。

八畳の板張りの部屋には、書棚がぎっしりと並んでいる。人が通れるスペースをかろうじて残し、あとは隙間なく棚が並んでいる。たいていの書棚が、二重重ねの可動式で、収納量が多かった。

「本って、お風呂の黴《かび》と一緒で、放っておくとどんどん増えていくから困っちゃうんだって」お母さんが嘆いていたのも思い出す。「少しでも空いている場所があると、次々埋まっていくから、美智、見ていてごらん。無限に増えるから」

お母さんの心配は杞憂《きゆう》だった。本はこれ以上増えない。無限ってことはなかったな、とわたしは思う。

奥の書棚の前に到着すると、床に這《は》いつくばり、一番下の段に、持っていた文庫本を挿し込んだ。それにしても、全部読み終えられるとは思わなかった。わたしは強い満足感を持ったまま、もう一度、書棚を見る。廊下に通じる入り口脇の棚からはじめて、上から順に読み、四年かかった。それでもたぶん、三千冊はなかったはずだ。一日に一冊から二冊、気持ちが乗っていれば三冊という具合に読み進めた。ざっくりと計算しても、二千数百冊というくらいかもしれない。

部屋の外に出る。ずっとこの部屋で、本を読みながら冬眠でもしていたかのような気がした。ドアをゆっくりと閉める。がちゃりと音が鳴ったのを聞いたわたしは、「もう二度とこの部屋には来ないかもな」と思ったが、すぐに思い直した。三年後、この世の中が本当に終わっちゃうのならば、その時はこの部屋にいるのもいいかもしれない。

自分の部屋に行く。お父さんがお母さんと一緒に死んでしまった四年前から、言ってしまえばこのマンションの三〇一号室は全部が、「自分の部屋」と言えなくもないのだけれど、でもやっぱり、わたしの部屋は、東側に配置された絨毯《じゅうたん》敷きの六畳間だ。部屋に入って真正面にベッドがある。レースのカーテンから日が射し、室内が明るい。あと三年で世界が終わってしまうとはとうてい思えない、爽快な陽射しに感じられた。

勉強机に座る。「勉強机」という名前は用途を無理やりに限定しているようで、滑稽にも感じられる。机の前の壁の紙に、視線をやった。画鋲《がびょう》で留めた大きめの短冊のようなもので、わたしが自分で書いたのだ。

学校に通っていた時から、わたしがよくやる手法だ。自分が日常の雑事に追われて、道に迷わないように、暗い道の先に小さな街灯を点《とも》す気持ちで、やるべきことを書いておく。動揺したり、焦ったりすることがあっても、貼り紙を見れば、落ち着くことができた。「やらなければいけないことを一つずつやり遂げていく。一つやり終えたら、次のことが見えてくるから。慌てずに」とはお母さんがよく言ってくれた言葉だ。

目の前には三つの「目標」が貼ってあった。四年前、お父さんたちがいなくなった後に書いたやつ、わたしがやるべきこと。

「お父さんとお母さんを恨まない」

それが一つ目。これは努力する必要もなくて、実行できている。

「お父さんの本を全部読む」

これが二つ目。今まさに、成し遂げたばかりのところだ。本当にやっちゃうとはなあ。

三枚目を見る。

「死なない」

今のところは達成中だ。

2

マンションを出て、「ヒルズタウン」の住宅街を進む。十一月であるから、すでに冬に足を踏み入れているようなものだが、それでも、肌寒さは感じない。異常気象を、「異常気象だ！」と騒ぐ人もすでにいなくなっているし、「異常気象を異常気象と報道しないなんて、どうかしている」と苦情を口にする人間もいなくなっている。

ヒルズタウンは二十三年前、わたしが生まれた年に、仙台北部の丘に作られた団地、らしい。両親は、わたしが生まれた記念に、と自分たちを鼓舞《こぶ》し、マンションを購入した。

公園を横切った。柵《さく》で囲まれた敷地の四隅には、トーテムポールが設置されていて、その脇を通って公園に入る。斜めに抜けていくと、団地を越えるのには近道だった。

ベンチの横を通る時に、南側に目を向けた。仙台市街地が見下ろせた。木々と建物がバランスよく混在している仙台の街並みを、わたしは気に入っていたけれど、最近はすでに、灰色にくすんだ廃墟《はいきょ》に見える。

少し先へ進むと、年配の男女が、ベンチの奥、木々の並ぶところに立っていた。同じマンションに住んでいる人だとはすぐに分かるが、名前が思い出せない。この団地も、すっかり人気《ひとけ》がなくなっている。無言のまますれ違うのも申し訳ない気がしてわたしは、「どうかしたんですか？」と声をかけた。二人は、木を見上げていた。

「あら、田口さんのところの」と振り返ったおばさんが言ってくる。そして、「ほら、三階の田口さんの」と隣のおじさんに、おそらくは旦那さんに、説明をした。その後で、「四〇五号室の香取です」と言った。そこでわたしはぴんときて、「ああ」とお辞儀をした。確か、十年くらい前だろうか、息子さんを自殺で亡くしている家だ。当時は団地内で、若い人が死ぬなんてことが珍しかったので、ずいぶん話題になった。

「何があるんですか」わたしも彼らに近寄って、彼らと同じ角度で首を傾けた。葉の落ちた枝は剝《む》き出しの血管のようにも見えて、それを広げる欅《けやき》はグロテスクだったが、見ようによっては色っぽくもある。公園を管理する人間も、清掃する人間もいなくなったせいか、欅の近くには机やら椅子やら、粗大ごみが転がっていた。

「ほら、この木の上のほうに、糸とかが絡まっているのが見えるでしょ」おばさんが細い指を上に伸ばした。

目を凝らすと、十メートルほど高いところに、木の枝をぐるぐると横切るように糸があり、木材の欠片《かけら》のようなものも近くに見えた。「あれ、何ですかね」

「凧《たこ》かなあ、と今、うちの人と言ってたんですよ」おばさんが、おじさんを見ながら、言った。

「凧？」

「昔ですけど、和也が、あ、うちの息子なんだけど、その息子が凧を公園でなくしてきたことがあったんですけどね」おばさんは当時のことを思い出しているのか、目を細め、遠くを見やるようだった。「あの子は、もう中学生か高校生だったのに、近所の子の凧を使って、それを木に絡ませちゃったんです。それで、この人が、ひどく怒っちゃって」

おじさんに目をやる。仏頂面の厳しい顔つきは変わらなかったけれど、罪悪感のせいなのか、表情がゆがんだ。

「さっきたまたま見たら、あそこに糸が絡まっているのが見えて、もしかしたら、和也の凧かしら、なんて言ってたのよ」おばさんはそこで、こんがらがっていた糸が解《ほぐ》れて、はらりと垂れるように、頬を緩ませた。年齢からすると、すでにおばあさんに近いのかもしれないが、可愛らしい。

「もう二十年も前だぞ。残ってるわけがない」おじさんがぼそりと言った。

「でもほら、あの糸もずいぶん古そうですよ」

「ああ、確かに古そうですね」わたしも真上を見つめながら、口を天に向ける恰好《かっこう》で、言った。

「登って確かめましょうか?」おばさんがぽつりと口にする。

「おい」とおじさんが言うと、「嘘ですよ」とおばさんが返事をした。

3

この四年間、毎日を読書に費やしていた、擬似冬眠中のわたしにとって、唯一と言ってもいい外界との接触が、食事の材料を買いに、食料品店に行くことだ。

もちろんこんなご時世だから、食料品を買うといっても簡単にはいかない。昔、学校で習ったことがあるけれど、わたしの住むこの国は食料の自給率が絶望的に低い。「海外から輸入してこないと、君たちの食事は、お米だけのおかずなしだ」と教師は脅しとも諧謔《かいぎゃく》ともつかない台詞《せりふ》を吐いたものだったが、実際には米ですら危うい。

五年前、世の中がパニックに陥った時には、本当に酷《ひど》かった。食料品や消耗品を奪い合うため、店はお金を払わない客でいっぱいだった。高校から帰ってくる道すがら、たまたま通りかかったスーパーマーケットに、イナゴの大群さながらに主婦たちが群がっていたのは、強烈な光景だった。広い駐車場には車がぎっしりと詰まり、その間を人が縫うように、歩いている。ボンネットに上がり、車の上を歩く人もたくさん、いた。しかも、そのイナゴの大群の中に、わたしのお母さんが混じっているのを見た時には、驚いた。いつもは色白のお母さんが顔を赤くし、柳眉《りゅうび》を逆立て、ジーンズ姿でリュックサックに、食品包装用ラップをたくさん詰め込んでいた。そして、歩道で立ち尽くすわたしの姿に、お母さんも気づき、目を丸くした。青ざめ、自分を恥じるように下を向いた。マンションに戻ってきた時も、お母さんは罪悪感や自己嫌悪に苛《さいな》まれているようで、わたしはかえって心苦しかった。きっと、わたしに軽蔑されたとでも思ったのかもしれない。そんなことはまるでなかったのに。誰もが食料やトイレットペーパーに躍起になっている中、サランラップに目を向けたお母さんには見識を覚えたくらいだった。ただ、お母さんの寂しさと悔恨の混ざった表情はとても印象的だった。

お父さんが灯油を手に入れて帰った時も、同じような顔だった。マンション前でお母さんに襲いかかってきた暴漢を、角材で撲殺してしまった時だ。たぶん、お父さんたちが入水《じゅすい》自殺を思い立ったのは、そういう、憂鬱でつらいことの積み重ねが原因だったたに違いない。

「美智ちゃん、今日は、どうする。長芋入ったぞ」

声をかけられる。いつの間にかスーパーマーケットに辿《たど》り着いていた。長細いプレハブ倉庫のような建物で、右端が入り口、左端が出口となっている。毎日、店の人たちが地元農家から仕入れてきた食料品を並べているだけの簡素な店内だが、それなりに混んでいる。もちろん、品数は豊富ではないが、もはや、目の色を変えて、我先にと商品に殺到する人々はいない。

今年になってから少しずつ、町が落ち着いてきた。たぶん、一休み、になったんだな、とわたしは解釈している。小惑星が飛んでくることに大騒ぎするのに疲れたのだ。沈静化したわけではなく、今だけの小休止だ。

無理さえしなければ、どうにか残りの年月は生きられるかもしれない、とうすうす誰もが感じはじめたせいでもあるのだろうし、去年末になって、政府が、大量の備蓄米があることを発表したことも関係しているはずだ。暴動や自殺で、この国の人口がかなり減ったことが影響したのか、「このままでいけば、残りの日々、米には困りません」と発表があった。

米だけあったって、と思いはしたものの、強奪が減っているのは確かだった。みんなきっと、疲れたんだ。奪い合って、やりたい放題にやったところで、小惑星の衝突からは逃れられない。それならば、のんびりと平和に、と思いはじめているに違いない。

わたしに、「長芋」のことを教えたのは、入り口で猟銃を持って立つ、店長だった。痩《や》せ型の体型だが姿勢はよく、目がぎょろっとしていて、顎《あご》が突き出すように曲がっている。

構えた猟銃が様《さま》になっている。最近になって、このスーパーマーケットが営業を再開したのは、「店の人が、店の治安を守るために、銃を携帯してもいいですよ。少々、乱暴なことをしてもいいですよ」と国からお達しが出たためだった。といっても、わたし自身はそのお達しを見たわけでもないから、もしかすると、デマカセなのかもしれないけれど、とにかく、店長さんの銃のおかげもあって、スーパーマーケットは前ほど危険な場所ではなくなった。

「そうかあ、じゃあ、長芋買って、とろろにしよう」とわたしは答える。

「とろろは美味《うま》いよな。数は少ないから急いだほうがいい」

「ありがとう、店長さん」

「キャプテンと呼べ」そう言って店長さんは、顎を上に向けた。どういうわけなのか彼は、自分のことを、キャプテンと呼ばせたがる。最初はユーモアなのだろうと思っていたけれど、その呼び名に執着する様子は正常な人間の態度とも感じられなかった。

店の奥へと進んでいく。幸いなことに、最後の一本となった長芋を手に入れることができ、ビニール袋に入った味噌と干した魚を籠《かご》に入れるとレジに並んだ。前に五人ほど、籠を持った人たちが列を作っていた。

「あれ、美智じゃない」と名前を呼ばれ、慌てて顔を上げた。

「誓子《せいこ》」前に立っているのが中学時代の同級生だと分かる。

「そうかあ、美智もまだ、残ってたんだ」誓子は中学時代から変わらない、大きな目をしていた。

ああやっぱり美人になったんだなあ、とわたしはうっとりとした声を上げそうになる。中学のときから、彼女は友人の誰よりも器量が良かった。顎が尖《とが》り、顔は小振りで、若干吊り上がった目が挑発的でもある。昔は長い髪だったけれど、今はショートカットで、それがまた似合っている。

「うん。まだ残っていたんだ」それが、この町に残っている、という意味なのか、生き残っている、という意味なのかは分からない。けれど、どちらにせよ、イエスだ。

「もう、何が何だか分からないよねえ」顔をしかめる態度も優雅に見えた。「そういえば、美智の両親って死んじゃったんだって？」

「うん」

「ひどいねえ。美智を置いていくなんて」

「どうなんだろうね」

「だって普通は、娘のことを最後まで守るか、そうじゃなかったら、娘も一緒に連れていくべきだと思わない？」

「うーん」とわたしは首を傾《かし》げて、考えてみる。「よく分からないなあ」実際、何が正解か分からなかった。

「あ、そう」誓子がそこで、唇を尖らせ、目を逸《そ》らした。こういう彼女の態度も懐かしい。幻滅したような、呆れたような表情だ。

「誓子はまだ、あの家に住んでいるの？」確か、ヒルズタウンとは別の住宅街に家があった。お父さんが法曹関係の仕事をしていたはずで、それが関係しているのかどうか、とても立派な家構えだった。

「そう。うちは両親も弟も残ってる。みんな無事」

レジの店員さんが、誓子の籠の中身をレジに通しはじめた。ぴっと音が鳴り、金額が表示される。

不思議なことに、わたしたちは今もって、お金を支払って、商品と交換してもらっている。三年後に小惑星がぶつかって、何もかも終わってしまうのだとしたら、財産や金銭に価値があるとも思えないのに、だ。

ようするに、今までのルールが依然として維持されているに過ぎないのだろう、わたしはそう推測している。商品を手に入れるためにはお金を払う、というルールが変わらず継続しているだけなんだ、と。誰も、「そのルールを取りやめにしましょう」とは宣言しない。もしかすると誰もがどこかで、小惑星は衝突しないかも、と期待しているからかもしれない。衝突しなかった時のことを考えると、お金は必要だ。ルールは守りつづけないとならない。そういうことだろうか。いや、もしかすると、お金が使用されているのはこの町だけ、という可能性もある。

店員さんが、合計金額を誓子に伝え、誓子は財布から金を支払った。

「じゃあね、美智」と誓子が、わたしを振り返り、そして思い出したかのように、「そうだ、美智って、彼氏は？」と訊《たず》ねてきた。

唐突な質問に戸惑った。何の意図のある問いなのか、まるで理解ができなかった。

「ううん、いない」

「今までは？　いたの？」

「ううん」とわたしは首を横に振る。「ううん、いないよ」それがどうしたんだろう、と疑問に思いながら返事をすると、「そうかあ」と彼女は片眉を下げた。「それはちょっと寂しいよね」と唇をゆがめた。「彼氏なしのまま、終わりなんてさ」

「え」とわたしはきょとんとする。「うん」と曖昧《あいまい》にうなずく。

じゃあまたね、と彼女は背中を向けた。店の出口のところで長身で体格のいい、長髪の男が誓子に寄っていくのが見えた。腕を組んで、店を出て行く。

「今の友達？」わたしの長芋を手に取った店員さんが、レジの機械に金額を打ち込んでいる。髪を後ろで束ねた丸顔の女性で、二重のくっきりとした目が綺麗だった。

「え、ええ。中学校の」

「こんなこと言ったら悪いけど、やな感じだね」その口ぶりはとても軽やかで、からっと乾き、嫌味のようなものはまるでなかった。むしろ、清々《すがすが》しい言い方に思えた。「彼氏のことなんか、どうでもいいのにさ」

「え、ええ」

「あと三年しか地球がないかもしれないって時にさ、彼氏も何もないと思わない？」店員さんは作業をやめて、わたしに笑った。「あの子はこの期《ご》に及んでも、優越感に浸りたい性格なんだね」

「優越感」

「そういう人間っているじゃない。相手が持っているものにはケチをつけたがるし、幸せそうに生きている人をちくりと刺して、不安にさせて」

「誓子、さっき、そういう意味だったんだ」と気づく。「わたしってそういうの、鈍いんですよねえ」と少し恥ずかしくなる。「そうか、そうだったのか」

店員の彼女がそこで、噴き出した。

「どうかしました？」

「いや、あなた可愛いなあ、と思って」と彼女が目を細めた。「見た目もそうだし、雰囲気も可愛いしさ。こう言っちゃ何だけど、さっきのお友達よりよっぽどもてるんじゃないの？」

わたしは何と答えたものかと一瞬、躊躇《ちゅうちょ》したが、すぐにはっと気づいた。「あ、もしかして今のも、皮肉ですか？」

店員さんが頰を緩める。「違うよ。でも、うん、そうやって疑ってみるのはいいことかも」と籠の向きを変えた。「世の中はさ、いろんな悪意で溢《あふ》れてるから」

「あー、それ知ってますよ、世界にはいろいろな悪意があるんです」

「知ってるんだ？」

「ええ、小説をたくさん読んだら、結構あちこちにそういう話がありました」

レジに表示された代金を見ながら、財布から紙幣を取り出して、店員さんに渡す。

「そうそう聞いてくれる？」店員さんがお釣りを数えながら、言ってきた。「彼氏と言えばね、わたしって、映画みたいに劇的な出会いが夢だったんだけど」

「映画みたいな？」急にいったい何の話なのだろう、とわたしは驚く。

「たとえば、貧血か何かでわたしが倒れていて、ええと、こうやって、くの字の姿勢で倒れていて」彼女が、上半身を折るような、しな垂れるような恰好をしてみせる。「そうしたら、それをどこか遠くから見つけた男性が助けに来てくれたり、とかね、そういう出会いが夢だったの。駆け寄ってきて、抱えてくれて、『大丈夫ですか』とか声をかけられてね。『これも何かの縁ですね』とか」

「そういう映画あるんですか？」

「知らないけど、ありそうじゃない」

「なさそうです」わたしは正直に答えてしまってから、しまった、と思うが店員さんは喜んだ。「そうかあ、ないかー」と微笑《ほほえ》んだ。

「店員さんは結婚されてるんですか？」わたしは、彼女の薬指の指輪に目をやる。

「優柔不断の旦那ね」と彼女は可笑《おか》しそうに言った。「わたしの出会いは何といっても、山手《やまのて》線の路線図だから、映画にはなりそうもないけど」

三〇一号室に戻り、買ってきた食材を冷蔵庫に片付けたわたしは、自分の部屋に行き、貼ってあった、「お父さんの本を全部読む」の紙を剝《は》ぎ取った。成し遂げてしまったからだ。

勉強机の引き出しから白い上質紙を取り出すと、マジックで、「恋人を見つける」と書いてみた。壁に、画鋲で固定する。

4

太田隆太《りゅうた》の家は、五年前と同じ場所にあった。ヒルズタウンの一番西側に位置する区画で、マンションの上階を除けば、団地の中ではもっとも見晴らしがいい区域だ。

薄茶色の壁の二階建ての家は、豪邸というたたずまいではなかったが、それでも落ち着いた貫禄がある。わたしは自分が怖気《おじけ》づく前に、と門柱に近づくとすぐに、インタフォンを押した。鼓動が早くなっている自分に気づく。歩いてきたにもかかわらず、走ってきたような疲れを感じている。

確率としたらどちらが高いのだろうか。

太田家がまだこの町に残っている可能性と、すでにいなくなっている可能性と。

「はい」とインタフォン越しに声が聞こえる。警戒心が混じっているせいなのか内にこもるような、低い女性の声だ。

「あの」わたしは自分で想像していた以上に動揺した。「わたし、昔、いえ、昔といっても五年くらい前ですけど、隆太君と同じクラスだったんですけど」

少し間があってから、「今出ますから」と返事があった。

太田隆太は、高校の同級生だった。この団地から一番近い場所にある、自転車で通える範囲の高校だ。同じバスケットボール部に所属していたけれど、技能的なレベルでも、チームにおける必要度合いでも、彼とわたしとでは天と地の開きがあった。

彼は一年生の後半からすでに先輩の試合に混じって出場し、二年生の半ばになると当然のように部長となった。長身で仲間を見下ろす彼は、いつもにこやかでみんなからも好かれていたが、それに比べてわたしはといえば、背は小さいし、道にはよく迷うし、パスはよくカットされた。

太田隆太は、もちろん女子生徒からは相当な人気で、試合の時はもちろん、練習の時にも体育館の隅に女の子たちがやってきた。わたしはそういう彼や彼の周りに集まる女友達を眺めながら、すごいなあ、と感心していた。恋愛感情、とかそういうものではなくて、ただ単純に、グランドキャニオンとか、ナイアガラの滝とか、いや、華厳《けごん》の滝でもいいけれど、とにかくそういった名勝を前に、「すごいなあ。こういうのがあるんだあ」と思うような感覚だった。

わたしたちが高校三年の時、まさに受験勉強の真っ最中という時に、例の小惑星のことが発覚したから、高校時代の後半は結局混乱のまま尻切れトンボのように終了してしまったけれど、それまでの間、わたしは太田隆太とはずっと同じクラスで、何度か席も隣り合わせだった。だから、話を交わす機会は多かったはずなのに、今となっては何を喋《しゃべ》っていたのかもよく覚えていない。

「田口って、バスケ好きなの？」と訊《き》かれたことはあった、と思い出す。別の市の学校に練習試合に行った帰り、わたしが仙台駅に帰る列車に乗り遅れてしまった時だ。次の列車で、と思っていたら何とそれが一時間後で、ぐったりした思いで帰ってくると、心配してくれたらしく太田隆太が仙台駅で待っていてくれた。さすが部長は違うなあ、とわたしはナイル川やアマゾン川を見るように、いや、広瀬川でもいいけれど、彼を見た。

「シュートしてさ、ゴールにしゅっと入った時ってすごく気持ちいいでしょ。ネットを通過する時のあの感じが。だから好き」とわたしは答えた。「しゅぴっ、っていうか、しゅぱっ、というか」

「しゅぴ、しゅぱ」太田隆太が鸚鵡返《おうむがえ》しにした。「田口は滅多にゴールに入らないから、だからよけいに感動できるのかもな」

「あー、それはあるかも」

そこで太田隆太は笑った。「おまえって、何か可笑しいよな」

「可笑しい？」

「何かこう、トゲトゲしてないじゃん」

「トゲトゲ？」わたしはその意味が分からず、自分の腕を見下ろし、頬を撫でてみる。

「もしかしてそれって、尖った感性がないってこと？」

彼は声は出さず、にやにやとして、「そういうんじゃない」と首を振った。「俺、トゲトゲした雰囲気って苦手なんだ」

「何それ」

「丸っこい感じのほうがいいじゃんか」彼は、持っているバスケットボールを撫でた。

「角がないっていうか」

「あ、もしかして、トゲトゲしていないって、わたしが丸く太ってるって言いたいわけ？」わたしは太田隆太を見上げたが、彼はますます愉快げで、「そういうんじゃない」と歯を見せた。

それからその後で、なぜか星の話になった。「知ってるか？　俺の部屋から星が見えるんだぜ。西側だけど、邪魔する建物とかないから、すげえ綺麗に見える」と太田隆太が言ってきたのだ。

「へえ、いいなあ。わたしの部屋からは何にも見えない。でもさ、やっぱり星って望遠鏡とかないとよく見えないんじゃないの？」

「どうだろうなあ。そうだな、言われてみれば、望遠鏡、欲しいな」

特に深い意味はなかったけれど、わたしはそこで、「もし買ったら、星見せてよ」と応じた気がする。

あの時のわたしと太田隆太は、まさかその、「星」のひとつが地球に衝突する羽目になるとは想像もしていなかった。

「あら、あなた、知ってるわ」玄関から出てきた婦人は、「田口と言います」と挨拶したわたしをじっと見た後で言った。暗く翳《かげ》っていた表情を少しばかり明るくした。顔も身体《からだ》も細い、小柄な婦人だ。白髪まじりの髪は乾燥しているようで、失礼を承知で言わせてもらえれば、全身が、萎《しお》れた花の雰囲気に近かった。

「すみません」わたしは頭を下げている。

「どうして謝るの？」

「いえ何となく、わざわざ知ってもらっていたのが悪い気がして」

「あなた、可笑しい子ね」婦人が目を細めると、家の中を指差し、「上がって」と言った。

わたしはすっと息を吸い、いったんぴたりと止めると、「あの、太田隆太君に会いたかったんですけど、まだ、ここにいますか？」と一息に喋った。

婦人はすぐには答えてくれなかった。はじめは、わたしを見つめながらこくりこくりと首を振ったが、その後で、言葉を探そうと唇を結び、瞼《まぶた》を二度ほど大きく開閉したかと思うと、笑うような泣くような、そういう皺《しわ》を顔に作った。

なるほど、太田隆太はもういないんだな、とわたしは了解した。

5

「で、あなたは恋人を見つけようと決心して、それで何年ぶりかで隆太のことを思い出してくれたわけ？」婦人は、太田隆太の母である彼女は、わたしの話を聞くと素早い理解を見せた。「可笑しい子ね、ほんと」とも言った。

和室の座卓で向かい合っている。家の中は綺麗に片付いていた。必要最低限の物しか置かれていないようだった。和室は六畳で、小さなテレビと箪笥《たんす》、それと隅に仏壇があるだけだ。

繁々《しげしげ》と眺めたわけではないけれど、その仏壇に飾られている白黒写真が、高校時代の太田隆太であることは分かった。

「わたしが読んだ本に、確かビジネス書だったと思うんですけど、書いてあったんです。『新しいことをはじめるには、三人の人に意見を聞きなさい』って」

「三人？」

「そうなんです。まずは、尊敬している人。次が、自分には理解できない人。三人目は、これから新しく出会う人」

「面白いアドバイスね」婦人は、彼女自身が運んできた湯呑みに口をつけた。緑茶の心地いい香りが、わたしの鼻先を過ぎる。緑の匂い、という感じがして、とても落ち着く。

「ええ、それで、わたしもそれに倣《なら》ってみようと思ったんです。だってわたし、本で読んだ知識しかないし」

「隆太は何番目だったの？」婦人が身を乗り出してくる。寂しげな雰囲気と、疲労が蓄積された様子は変わらなかったが、でも声がわずかではあるが弾んで、聞こえた。

わたしは照れながら、人差し指を立てた。「一番目です。わたしにとって、尊敬というか、すごいなあ、と思える人って誰だろうって考えてたら」

「隆太のことが浮かんだわけ？」彼女は喜びを浮かべた。「うちの子が選ばれたのね」と前のめりになるように言われて、「選ぶっていっても、しょせん選んでいるのはわたしみたいな人間なので」と恐縮したくなる。「最初は、太田君のことをすぐに思い出したんじゃなくて、バスケットボールだったんです」

「ボール？」

「バスケットのゴールに、ふわっとボールが飛んできて、それが、すぱっとリングをくぐるんです。ネットがしゅっと揺れて。とても綺麗で、心地いい情景なんですよ。柔らかい放物線を描いて、ボールがしゅっと」

「ふわっ、とか、すぱっ、とか、しゅっ、とか、あなたって本当にそういう言葉が好きなのね」

「え？」

「昔、隆太がよく言ってたのよね。あなたが、擬音語ばっかり使うって」

「そう」婦人がかさかさとした唇を横に広げた。目尻が下がった。「あの子ね、よく、
わたしは事情が呑み込めず、頭を整理する。「太田君が、わたしのことを、ですか？」

あなたのことを話していたの」

「太田君が？」バイカル湖とかネス湖とか、もちろん猪苗代湖《いなわしろ》でもいいんだけれど、そういう名所が自分のことを話題にしていた、と聞かされたような気分だった。「どういうことをですか」

「変な同級生がいるって」

わたしは恥ずかしくて、肩をすぼめる。

「『のんびりと平和な感じがする』って言ってたわ。数学の授業の時のことも言ってたわよ。図形の角度を求める問題を解いていたら、隣であなたが、45度って書くべきところを、45℃とか、全部、温度みたいにしていたって」

「あー、ありました。条件反射ですよね」素直に認めるしかなかった。

「それから、あなた、冬眠するって聞いたわ」

「太田君、家ではお喋りだったんだ」

「というよりも、反対に、隆太はあんまり家の外の話をしてくれなかったのよ」

「だけど、あなたのことだけは喋ってくれて、だから、わたしもそれが嬉《うれ》しいから、あなたのことを聞くわけ。『今日は、田口さんは何か可笑しなことを言った？』って」

「はあ」

「うちは、昔から父親がいなくてね、わたしと隆太の二人だけだから、いつも話に困っちゃうのよね。だから、あなたのおかげで会話に困らなかったわ」

「お役に立てて、何よりです」わたしは嫌味に聞こえなければいいな、と思いつつ、頭を下げた。「で、その冬眠って何の話ですか？」今朝、本を読み終えた時に、冬眠のようだと思ったのは確かだったけれど、高校生の時のことは覚えていない。

「それはさすがに隆太の作り話だったのかしら」

不思議なもので、向かい合って喋っているうちに、彼女の肌に張りが戻ってくるようにも見えた。萎れていた切花が瓶《びん》の水を吸い、しゃんとなるのと似ている。

「いつもは少食なのに、ある日、お昼ご飯をたくさん食べるから、どうしてそんなに食べるんだ、と訊いたら、『冬眠に備えて』と答えた、ってそう隆太が言っていたの。で、冗談かと思ったら、いつの間にか保健室に移動して、本当に眠っちゃったって」

「ああ」

「しかも、放っておいたら、放課後までずっと眠ってたって」

「ああ」

「やっぱり、それはさすがに」

「実話ですね」わたしはうなずく。自分の罪を認めるような気分になったので思わず、両手首を揃えて、お縄を頂戴する恰好で、「わたしがやりました」と言いたくなる。

「あなたって本当に可笑しいわね」

複雑な気持ちだったけれど、それで彼女が楽しいのであればいいか、と思った。

「太田君はどうなっちゃったんですか?」

「あら」と婦人はせっかく若返ったようだったのに、一瞬にして年老いた様子になり、湯呑みに伸ばした右手を震わせもした。反射的に、眼球を右に動かす。確認はしなかったけれど、たぶん、仏壇を見たのだろう。「ずいぶん、真っ直ぐな質問ね」

わたしは声を落とす。「隕石《いんせき》が真っ直ぐに向かってきてるので、質問も真っ直ぐで」

今度の彼女の笑い方は、先ほどまでよりは弱々しい。「四年前なのよね。もう、というか、まだ、というか。とにかく、四年前ってひどかったでしょ。どこもかしこも」

「わたしの両親が死んじゃったのも四年前です」

「あら」婦人は目をしばたたき、わたしをじっと見て、そして同情するわけでもなく、

「そうなの」と小声で言う。

「あの頃は本当にひどかったですから」

「この世の終わりかと思ったわよね」

「この世の終わりなんですよ」わたしは余計なお世話と知りつつも、指摘する。

彼女はそれから、太田君が亡くなった時のことを話してくれた。ヒルズタウンの隣町で、渋滞したRV車の下に、小さな子供が潜り込んでしまったらしい。それを救い出すために太田君は車体の下に入ったのだけれど、そこで突然、RV車が動き出して、轢《ひ》かれてしまった。

「子供は腕を轢かれただけで済んで、命は助かったから、それだけが救いだったけれど、隆太は駄目だったのよねえ」

そうかあ、とわたしは不思議な気持ちで話を受け止めていた。太田君が死んだ、ということも実感がなかったし、車の下敷きになるという死に方もぴんとこなかった。わたしが読んだ本の中では大勢の人の死が描かれていたけれど、そういう死因はなかった。

「でも、太田君偉いですね」

「そうねえ、偉いともいえるし、ひどいともいえるし」

「わたし、さっきも言いましたけど、太田君を尊敬してたんですよ。何でもできるし、すごいなあ、偉いなあって。大人になったら、きっと何かを成し遂げちゃう人になるんじゃないかって、こっそり期待してたんですよ」

「何かを成し遂げるって、大陸を発見するとか？」彼女は眉を八の字にして、寂しげに微笑んだ。「でも、あなたのせっかくの予想も外れちゃったわね」

「いえ」とわたしは座卓の上に置いた両手でしっかりと拳を作り、「何だか、万馬券を当てた気分です」と答えていた。不謹慎かな、とすぐに気になったけれど、太田君のお母さんが嬉しそうに目尻に皺を寄せたので、わたしはほっとする。

帰り際、「隆太の部屋、見ていかない？」と言われた。「四年前から変わってないから」

気後れもなければ、気が進むこともなかった。ただ、せっかくだからと思って、二階へ上がった。男の子の部屋を覗く機会などもう二度とないかもしれなかった。

太田君の部屋はとても綺麗に片付いていて、壁にはＮＢＡの選手のポスターが二枚貼られていた。躍動する黒人選手は、黒豹のように美しかった。

「どう？」

「何か、太田君っぽいです」とわたしは返事をした。それから、窓の脇に置かれた勉強机を指して、「勉強机って、何だか、強制的に勉強させられるみたいで、怖い名前ですよね」と言った。

「あなたって可笑しいわね」

部屋を出る際、収納棚の前に望遠鏡があるのが目に入った。「あ」と声を上げる。

「ああ、あの望遠鏡ね」と彼女が記憶を呼び戻すように目を細めた。「隆太にしては珍しく、買ってくれって言ってきたのよね。結局、そのすぐ後に、隕石騒ぎになっちゃって、一度も使ってないかもしれないけど」

6

次に訪れたのは、小松崎輝男《てるお》の家だった。彼は学校での知り合いではなくて、わたしが高校生の時に、家庭教師として家に来ていた人だ。

大学受験の必要もなくなり、世の中が大騒ぎになって、「家庭教師はいらなくなりました」とこちらから言ったわけでも、家庭教師はいらなくなりまから言ってきたわけでもないのに、いつの間にか、うちを訪れなくなった。それ以降、まったく会ってはいないけれど、印象深い人だった。

ビジネス書に載っていた、「三人に会いに行きなさい」という中の、二番目、「自分には理解できない人」は、あの小松崎さんしかいない。

わたしに勉強を教えに来たくせに、基本的には、問題集をぽんと寄越すだけで、あとは部屋で寝転がって漫画を読んでいるような人だった。「分からないことがあったら、言えよ」とぶっきらぼうに言うくせに、わたしが、「小松崎さん、ここ分からないんですけど」と訊くとあからさまに嫌な顔をした。

「どこだよ」

「確率の部分なんですけど」とそのページを見せたら、「分かんないところは飛ばせ」と言ったのには驚いた。「分からないことがあったら言え、って言ったじゃないですか」

「だって、俺、確率分かんねえもん」

当時、彼は大学生で地元の国立大学の二年生だったから、三歳ほど年上のはずだが、とてもじゃないけれど、人生の先輩には見えなかった。むしろ、だらしなくて行き当たりばったりの同級生に近く、そういう意味では、「大学生って、これくらいのもんなんだな」と安心感は得られた。

五年経っているということは、小松崎さんは今頃はすでに、二十五、六になっているんだろうが、でもまだ、仙台には居残っているようなそんな予感が、わたしにはあった。なぜなら、小松崎さんは極度の面倒臭がりだったからだ。

一度だけ届いたことのある年賀状を、部屋の机から探し出し、その差出人住所を辿って、彼を訪れることにした。

もちろん、小松崎さんに、「恋人になってください」と話をするつもりはまるでなくて、むしろ、「最も恋人になってほしくない」人だからこそ、相談しやすいかな、と思った。理解不能の、いい加減な家庭教師だったとはいえ、小松崎さんはいつも何らかの解答を捻《ひね》り出してくれた。「恋人ってどうすればできるんですかね」と馬鹿馬鹿しい質問をしたところで、何かは答えてくれそうな予感はあった。「分かんないところは飛ばせ」と言われる可能性もあった。

予想通り、小松崎さんは六年前の年賀状に書いてあったのと同じアパートに今もいた。ヒルズタウンと隣り合わせの、古くからある住宅街だ。そこまで足を延ばしたのは四年ぶりだったが、意外に変わっていないものだな、と感じた。もちろん、あちこちの家の窓ガラスが割れ、店舗がシャッターを閉め、そのシャッター自体が破壊され、ごみ収集所に化石のようになったごみが山積みになっているけれど、それはどこの町も同じだ。通行人がほとんどいないのもヒルズタウンと一緒だった。途中の公園の溝に、自衛隊のジープのようなものがひっくり返っている。

「あれ、久しぶりだなあ。田口美智、五教科四七二点、じゃねえか」モルタルの壁で囲まれた古いアパートのドアから出てきた小松崎さんは、真っ先に言った。

「やっぱり、引っ越していなかったんですか。というよりも、よく覚えてますね、名前とか点数とか」

「俺はな、自分の教え子の名前と最高得点だけは忘れないように心がけているんだ」五年前とまるで変わらない風貌だった。指で触れるたびにぎしぎしと音を立てるような、硬そうな髪を肩まで伸ばし、強いパーマをあてている。長髪の、もじゃもじゃ頭。黒縁眼鏡をかけ、尖った鼻が妙に可愛らしい。痩せているので、虫のような顔だ。

痩せた長髪男で、度の強い眼鏡、となるといかにも胡散《うさん》臭いけれど、不思議なことに、小松崎さんには不潔な雰囲気はなかった。お父さんもお母さんも、小松崎さんを気に入っている節があった。お父さんの好きなプロ野球球団を、「金満球団め」と罵《ののし》ったり、お母さんの作った料理に、「塩は一つまみでよかったんですよ」と余計なコメントを口にしたり、と小松崎さんは自由奔放に振舞ったが、わたしたちに嫌悪感を抱かせなかった。

小松崎さんの部屋はドアの隙間から覗いただけでも、足の踏み場もないほど散らかっているのが分かった。だから、アパートの外に出て、隣の民家の庭に移動することにした。小松崎さんが言うには、「この家の住人、一年前に町を出て行ったきりだから」ということらしく、その縁側を借りた。腰を下ろすと、目の前には広い庭があった。

「田口美智、おまえ、何歳になったんだよ」

「わたしは、二十三歳ですよ」

「本当だったら、今頃はもう大学卒業してたのか」

「その前に、大学に合格できていれば、ですけど」

「そりゃ受かっただろ。家庭教師が良かったんだから」小松崎さんはそういう言葉を、真顔で言う。

「その家庭教師がクビになった可能性もありましたよね」

「そりゃない。俺は優秀だった」

「今となっては全部想像ですね」わたしは、小松崎さんの左に座ったまま、視線を上に向けた。空を、白いペンで引っ掻《か》いたかのような雲が、横に流れていく。

「小松崎さんは何やってるんですか？」

「何って、何だよ」

「今ですよ。この五年間、どうやって生きていたんですか？」

「必死だよ。必死。必死で生きていたんだよ」小松崎さんは口の周りに、深い皺を作った。「おまえのところもそうだったろうけど、人ってのは本当に脆《もろ》いよな。あちこちで、騒乱だろ。幸い、うちみてえな貧乏アパートには誰も来なかったけどよ、立派な家とかは結構襲われてたぜ。道をぼうっと歩いてたら、暴漢がすぐに現われるしよ。俺が最初に会った奴なんてな、青白い瓜《うり》みてえな、ひょろっとした男でよ、バット持って立ってたんだよな。『金なら持ってねえし、だいたい、世界が終わるなら金なんていらねえだろ』と言ってやったらよ、『違う』って言いやがった」

「違う？」

「『一度、人間をぼこぼこに殴ってやりたかった』ってそう言いやがった」

わたしは納得してしまう。「そういう人、多かったかもしれないですね」

「良く言えば、『みんなが解き放たれた』んだろうな。悪く言えば、『やけくそになった』だけだ」

「小松崎さんは解き放たれたんですか？」

「俺は頭がいいだろ？」

「でしたっけ？」

「だからさ、騙《だま》されねえんだよ。ここで、集中力が切れたら思う壺《つぼ》だ。そう言い聞かせて、どうにか生き残ってきたわけだ。自棄《やけ》を起こしたら、負けだってな。部屋に隠れてじっとして、食料を集めて、どうにかな。とりあえず、今日一日乗り切ってみよう、で、次の日になったらまた今日一日乗り切ろう、ってその日その日を生きてきたんだよ」

「思う壺って、誰の思う壺なんですか」

「隕石だよ、隕石」小松崎さんはどこまでが本気か分からないが、口を尖らせて、その後で薄く微笑んだ。ひひひ、と以前と変わらない高い声で笑った。「で、田口美智、おまえ、どうしてやってきたんだよ」

「それがですね、また一つ教えてもらおうと思って」わたしは本来の目的を思い出して、経緯《いきさつ》を説明する。

わたしが喋っている間、小松崎さんは無言だった。一度、「ちょっと待ってくれ」と言って、立ち上がり、庭の隅へ行ったかと思うと、げえっと嘔吐《おうと》し、戻ってきた。

「大丈夫ですか？」

「おまえは平気か」

「何がです？」

「今の状況にも慣れて、隕石も受け入れたと自分では思ってるんだけどな、時々、こみ上げてくる」

「吐き気がですか」

「身体には蓄積してるんだろうなあ」

何が蓄積してるんですか、と聞き返そうと思ったが、やめた。そこで、「絶望」などとずばりそのもののような答えが返ってきても、「もやもやしたもの」などと曖昧な返事があっても、どちらにせよわたしは暗い気持ちになるように思えた。

一通り話を聞き終えてから、小松崎さんは、「そうか、おまえの両親、亡くなっちゃったのか」と寂しげに呟《つぶや》いた。

「ええ、亡くなっちゃったんです」どういうわけか、その返事をした瞬間、わたしは泣きそうになった。この四年間、そんなことはなかったのに、だ。嘔吐する小松崎さんを見たからだろうか。奥歯を嚙《か》み、眼球に力を込めるつもりで堪《こら》える。

「遺書とかあったのか」

「何も」

「びっくりしただろ」

「そりゃもう。自分だけ取り残されて、訳が分からなかったです。だから、家にあるお父さんの本を全部読んだら、何か分かるかなあとか思ったんだけど」

「あれ、全部読んだのかよ」

「今朝まさに」わたしは力瘤《ちからこぶ》が出ないのに、腕を曲げた。

「何か分かったか」

「お父さんがいろいろなことを考えていたのは、うっすらと分かった気がしました」小説を読んでいると時折、自分の胸を衝《つ》かれるような苦痛や、毛布をかけられるような優しさを感じることがあった。きっとお父さんは、そういう感覚を、とても鋭く感じ取る性質があったのかもしれない。

　ちらっと小松崎さんはわたしを見たようだったけれど、すぐに視線を庭に戻した。

「で、四年間、家で本を読んでいたと思ったら、今度は恋人が欲しくなったんだ？　田口美智、おまえも変わってるなあ」

「一人は嫌だなあ、ってふと思ったんですよ。三年後、誰かと一緒がいいし、もしそれなら、恋人がいいじゃないですか」

　小松崎さんが意味ありげに、顎を引く。「でも恋人なんてしょせんは恋人で、他人だからな。いざとなったら、どうなるか分からないぞ」

「小松崎さん、恋人いるような言い方じゃないですか」

「俺はめちゃめちゃもてるんだって。高校生の時のおまえには分からなかったかもしれないが」

「分かりませんでした」虫みたいだし。

「田口美智、五教科四七二点、のようなお子様には理解できないかもしれないがな、俺には深く、広い、魅力があるんだよ」

自信満々に、表情を変えずに言う小松崎さんは見栄を張ったり、つまらない嘘を捏《こ》ねる男ではないとわたしも知っている。けれど、このギシギシ髪の眼鏡男にそんな魅力があるとは信じられなかった。「じゃあ、今、彼女はどこにいるんですか」

「いない」そこで、小松崎さんのトーンが落ちた。やっぱり嘘だったのかな、とわたしは思うが、その一方で、この五年間の騒動の中で、どういう形にしろ、その彼女がいなくなってしまったのかもな、と想像もした。

「とにかくな、俺からアドバイスしてやれることなんてないんだよ。恋人の見つけ方なんてのは、いろんなバリエーションがあるんだ」

「そのバリエーションを教えてくださいよ」

「少なくとも誰かれ構わず、男に声をかけるのはやめておけよ。こんなご時世だからな、すぐに襲いかかってくる奴らも多いだろ。そんなことよりも、誰か積極的に、付き合いたい男はいないのかよ。同級生とか、先輩とか。片想いの、とか」

「一人、こういう人が恋人だったらすごいなあ、と思いついた人はいたんですけど」わたしは、太田隆太の部屋に貼られていたＮＢＡ選手がしなやかに跳躍している姿を思い浮かべる。「でも、会いに行ったら、もういなかったんです」

「ま、そういうもんだよな。片想いってのはそういうもんだ。最近、思うんだけどよ」そこで口調を変えて、それは小松崎さんがくだらないこじつけを口にする時の口ぶりなんだけれど、「三年後に全部が終わるって考えるんじゃなくて、三年後から冬眠に入るって考えりゃいいんだ」と言った。

「冬眠？」

「熊とかがやるじゃねえか。冬の前に栄養を蓄えて、春まで眠るやつだよ。小惑星が落ちてきたら大変だろうけど、まあ、そこから冬眠するつもりでさ、きっと春が来たら目が覚めるんじゃねえかってそう思えば、楽だろ」

「冬眠ですかあ」わたしは、先ほど訪れた太田隆太の家でも、その冬眠が話題に出たので、面白いものだ、と感じずにはいられなかった。「でも」

「でも、何だよ」

「でも、冬眠って一人ずつだから寂しいですよね。やっぱりどうせなら、恋人とか誰かと一緒に、冬眠したいですよ」

「田口美智、おまえは前向きだ」小松崎さんは偉そうだった。

そこでしばらく間が空いた。話題が尽きたというよりは、小松崎さんが質問を抱えたまま、それをわたしに投げるタイミングを選んでいるようでもあった。それが合図となったのかどうかは不明だが、どこからかムクドリが飛んできて、庭に生えている梅の木に降り立った直後、「田口美智、おまえ、恨んでないのか？」と小松崎さんは言った。

「お父さんとかお母さんのことですか？」

「おまえを置いて、逃げたんだろ？　許してるのかよ」

「許すとか許さないとか、そういうんじゃないですよ」わたしはこの四年間ずっと考えていたことを口に出す。「たとえば、桜が春の短期間しか咲かないからって、誰も、『許さん』とか怒らないですよね」

「桜は、そういうもんだからな」

「それと同じ感じなんですよ、何か」わたしは言う。「お父さんとお母さんは死んじゃった。でも、そういうもんなんですよ、きっと」

「超越してる感じだ。おまえは超人だ」

「あ、それ読みましたよ、超人」

「キン肉マンか」

「何です、それ。ニーチェですよ」

「あ、そう」小松崎さんは縁側から立ち上がった。尻を叩《はた》いてから、「一つだけ言えるのは、部屋にこもっていては恋人はできないってことだな。とりあえずは、危なくない時間に外に出て、あちこち行ってみろよ。誰か、よさそうな男がいるかもしれねえぞ」と言った。

「そんなに都合よく、いきますかね？」わたしも立ち上がる。

「恋愛ってのは都合よくはじまることもあるんだよ。それでもし、誰もいなかったら、その時は俺のところに来いよ」

「えー」とわたしは眉をひそめる。「それって、小松崎さんが恋人になるってことですか？」

「最悪の場合はな」

「嫌ですよ。それなら一人で冬眠します」

「田口美智、五教科四七二点、おまえは正しい」そう言って小松崎さんは口を大きく開けて、爆笑した。わたしも釣られた。

7

小松崎さんのアパートを後にしたわたしは、そのまま来た道を引き返し、ヒルズタウンまで戻った。だらだらと蛇行しながらつづく上り坂を進むのが、愉快だった。靴で地面を蹴って、その反動が腿《もも》と膝を震わせる。さらにもう一方の足が道路に下りると、そのしっかりとした感触が心強く思える。血液がいつもよりも活発に流れているのが、脈の弾みが、分かる。途中で不意に、吐き気を催し、側溝に寄って、酸味のある唾《つば》を吐いた。小松崎さんが言っていたように、わたしにも何かが蓄積されている。頭では意識しないようにと思っても、身体は危機を感じ取っている。口を拭《ぬぐ》うと、また走った。

公園を通り過ぎようとした時に、欅の木に登ろうと思い立ったのは、たまたまだ。凧糸らしきものが引っかかった木の前で足を止め、わたしはその高さを目で測った。

うまくやれば登れるかも、とふいに思った。木の幹のすぐ脇に勉強机が転がっていて、その上に登ると枝に手が届きそうにも見える。机を引き摺《ず》って、場所を移動させ、すでにこれは勉強机ではなくて、椅子のかわりになってるから椅子机だ、と思いながら、靴で上がる。

枝をつかむとぐいっと攀《よ》じ登った。意外に苦労なく、上に進むことができる。枝の位置がちょうど良いのかもしれない。着ていたデニムのシャツが擦《こす》れて、チノパンが樹皮に引っかかっても、気にならない。登っていくのが、心地いい。

近づくと、凧の残骸《ざんがい》だと分かった。息を吐き出し、幹と枝の間に腰を下ろした。骨組みと糸だけのごみのようになった凧が、樹皮にくっついている。それがあの香取さんの息子さんのものだと証明するような跡はどこにもなかった。すでにこれは、欅の一部だな、と思い、顔を前方に向けた。反射的に、「おー」と声を上げた。あまりに見晴らしが良かったからだ。

街がとてもよく見渡せる。遠くには仙台の街並みが一望できるし、公園の周囲の家の敷地も、場所によっては丸見えだった。首を伸ばしたり、左右を見渡したりすると、ヒルズタウンの様子がよく見えた。

どれくらいそこで眺望を楽しんでいたのだろうか、足の踏み場にしていた枝がみしっと鳴った頃、わたしは幹を抱えるように腕を回し、立ち上がった。「帰って、とろろを擂らないと」と思う。

ただそこで、自分の視界に思いもよらないものが入っていることに気づき、はっとした。東側の広い家だ。その庭が、わたしのところからよく見えた。植物が縦横無尽に生えた、庭だ。もともとは家庭園芸に精を出していたのに、今は手入れが行き届いていないのだろう。コニファーや観賞用の草木が生い茂っている。

「あれ」と声を出した。その緑の中に人がいるのが見える。身を乗り出すと、落ちそうになるので、慌てて体勢を戻した。

誰かが倒れていた。もう一度、目を凝らす。わたしと同じ年くらいの、男の人だ。身体を、くの字に折り、失神でもしたかのように横たわっている。生きているのか死んでいるのかはっきりしない。けれど、生きているのなら助けないといけない。

右足から降りはじめた。両手で枝と幹をつかむようにし、慌ただしく下へ向かう。いきなりあの人の家に飛び込んで何と言えばいいだろうか。

左の靴が枝にかかる。右手を離し、左手をつく。

「『大丈夫ですか』と声をかけた後で、『これも何かの縁ですね』って言うのよ」とスーパーマーケットの店員さんの囁《ささや》き声が聞こえてくる。

世界はあと三年で終わっちゃうし、人が倒れているのに不謹慎かもしれないけれど、わたしは心が浮き立つような、不思議な予感を感じ、もうここらへんならジャンプしても大丈夫だろう、と残りの高さを飛び降りる。

鋼鉄のウール

1

苗場《なえば》さんが現われると、ジム内の雰囲気が変わった。五年前まで、そうだった。

鏡を前に縄跳びをしている人、拳《こぶし》を突き出し鏡に向き合っている人、コーチの構えたミットに脚を叩きつけている人、サンドバッグを蹴っている人、誰もが苗場さんの姿を見た途端、一瞬だけはっとする。何も言わないし、練習はつづけたままだし、息を止めて、ちらっと見るだけなんだけれど、でも、ジムの中を舞っていた埃《ほこり》がすっと沈んで、空気が塩をまぶされたように引き締まるのが分かる。その瞬間が好きだった。


もちろん今だってぼくは、苗場さんがやってくると、自然と背筋が伸び、気持ちがしゃんとする。五年前と違うのは、ジム内にいるのが、十六歳になったばかりのぼくと、苗場さん、それからジムの会長、三人だけという点だ。だから、はっとするのも、呼吸を止めるのも、ちらっと見るのもぼくだけで、空気ががらっと変化する感じではない。

前にいる児島会長が左腕のミットを上げた。ぼくはすばやく、左足で踏ん張り、右足を振る。腕を揺する。ふん、と息が洩《も》れる。足の甲に衝撃があって、同時に耳にばちんという響きが入り、頭の中が空になる。

もう一発、来い。声はないけれど、会長のミットはそう言っている。すぐにもう一回、右足で蹴る。ハイキック、ハイキック、と二回つづける。「おう」と会長が今度はミットを下げる。脚を寝かして、ぼくはローキックを出す。一回、二回。息苦しいが、心地いい。

会長がタイミングを見計らい、軽く、蹴りを入れてくる。ゆっくりと、リズミカルな動作だ。ぼくはそれを腿《もも》を上げて受け、後ろに下がって避《よ》ける。

視界の左端で、苗場さんが縄跳びをはじめた。風が鞭《むち》で切られるかのような、鋭い音が鳴る。苗場さんの裸足が床に触れるたび、ひたっひたっ、と柔らかい響きがジム内に広がった。

ゴングが鳴って、ぼくはミット打ちを終える。「ありがとうございました」と両手のグローブを胸に当てて、会長に頭を下げる。

「あいよ」と白髪まじりの会長は、のそのそと入り口脇の机に歩いていった。後ろ姿を見ると単なる中年のおやじにしか見えない。机の背にある壁には、二十年ほど前の会長の写真が飾られている。キックボクシングの日本王者になった時の写真だ。ベルトを肩にかけて、拳を構えて、こちらを睨《にら》んでいる。今よりも少し髪は長く、精悍《せいかん》な顔つきだった。「年は取ったけどな、たぶん、こいつよりも俺のほうが強いぜ」と前に会長が、写真を指差しながら笑っていたことがあった。「少なくとも、今の俺のほうが、客を沸かせる試合ができる」と、そうも言った。

縄跳びを置いた苗場さんが、くねくねと身体《からだ》をゆすり、自分の筋肉の調子を確認するかのように、腕を触った。決して大きな身体ではないが、重厚な雰囲気を持つ姿だ。

すでに三十歳を過ぎているはずなのに、ぼくがはじめて来た時とまるで違わない、いや、その時よりも締まった身体だった。鉄だ、と思う。実際、五年前、苗場さんがマスコミに取り上げられていた時は、「鋼鉄《こうてつ》の」という枕詞《まくらことば》がよく用いられていた。「鋼鉄のキックボクサー」「鋼鉄のノックアウト」「鋼鉄の雄《お》叫《たけ》び」「鋼鉄の敗戦」「鋼鉄の愚直」

ただ、近くで見ると、苗場さんの筋肉は、鋼鉄でできたような頑丈さを見せながらもどこか、しなやかだった。背中を汗の雫《しずく》がつるつると流れて、背骨をなぞるように垂れると、それだけで色気を感じさせる。柔らかな、弾力性のある、鉱石みたいだな、とぼくはよく見惚《みと》れたものだった。

苗場さんは腕を上下に揺すり、呼吸を整えて、うろうろと歩き回っていた。ぼくも、サンドバッグの前に立ったまま、足踏みをする。次のゴングが鳴るまでは、インターバルだけれど、足は止めない。

ゴングがまた鳴った。ぼくは、グローブを軽くサンドバッグに当てたあとで、右足を蹴り上げた。足の甲に衝撃があり、音が頭に充満して、曖昧模糊《あいまいもこ》とした幸福感が頭に広がる。頭の中に蜘蛛《くも》の巣のようにまとわりついていた、不安ややりきれなさが、キックの瞬間だけ、はっと消える。霧が晴れ、父の姿も母の顔も飛び散り、ばちん、という衝撃だけになる。

2

ぼくがこの、児島ジムに通うようになったのは、今から六年も前のことだ。まだ小学生で、年がら年中半袖《はんそで》と半ズボンで生活している無邪気な子供だった。「苛《いじ》められてんのか」当時、会長は遠慮もなくそう言ってきた。普段はそんなことは訊《き》かないらしいから、ぼくがよっぽど思い詰めた表情をしていたのだろう。入り口に置かれたスチールの机に座り、眼鏡をかけて帳簿を眺めていた会長は、はじめ事務の人か何かに見えた。中年を過ぎた、ジムの事務の人、だ。で、「苛められてんのか？」と愉快げに言われたので、ぼくも少しむっとしたのを覚えている。「違います」と唇を尖《とが》らせた。

実際、違った。ぼくは、抜きん出て頭がいい、というタイプではなかったけれど、運動ならたいがいできたし、友人は多かった。クラスでも中心にいた、といっても、間違いではなかったはずだ。

「負かしたい相手がいるんです」とぼくは、会長に言った。

「いいねえ」と会長は歯を見せた。その時はまだ午後の三時過ぎで、ジム内には練習生もいなくて、間近に試合を控えていた苗場さんが、ストレッチ運動をしているだけだった。

「負かしたい相手も小学生か？」

「五年。一つ上なんだけど」ぼくはむすっと答えた。「威張ってるんだ」

板垣という名前のその上級生は、おそらくは学校で一番の長身で、横幅もあった。歯並びが悪くて、いつもむすっとしている。そして、同じクラスの男子に暴力を振るっていた。帰り道や廊下で、ぼくはよくその現場に遭遇した。倒れて、弱々しく縋《すが》るように手を出す相手を、嬉々《きき》とした表情で蹴り続けるその板垣が不愉快で仕方がなかった。そして、怖くて何もできない自分に対してはもっと不愉快で仕方がなかった。

「でもな、うちは当然、喧嘩ご法度《はっと》だからな。キック習って、喧嘩したら、俺は許さねえぞ」と会長は言った。

「あ、そうなの」ぼくは動揺したけれど、「分かりました」とうなずいた。そんなの、ばれなければいいや、と思った。

「それにしても、どうして、うちのジムなんだ？　キックじゃなくても、強くなるなら、いろいろあるだろ」会長はその日の最後に、そう質問をした。ええと、と考えた後でぼくは、「苗場さんみたいになりたかったので」と正直に答えた。

その一ヶ月前、テレビで放送された試合を忘れることができずにいた。リズムを取るように、身体を小刻みに揺らし、相手をじっと睨み、ほんの一瞬、相手のタイ人が横を向いた瞬間を逃さずに、右のローキックを繰り出した。直後に、左フックを放ち、勝利した。鮮やかな鋭い動きに圧倒されたのはもちろん、ぼくは、苗場さんの表情と立ち姿にも心打たれた。

「苗場さんになりたい、なんて言ってるようじゃ強くなれねえぞ」と会長が笑った。「苗場をぶっ飛ばしに来ました、くらいの気持ちじゃねえと。苗場がうちに来た時の台詞《せりふ》知ってるか？」

「知りません」

「『俺、来年、チャンピオンになるから、よろしく』ってな、偉そうに言いやがった。キックボクシングなんて、一回もやったことねえくせにだよ。なあ、苗場」会長はそこで、足を伸ばしたまま上半身を床につけている苗場さんに声をかけた。

「勘弁してくださいよ」

「今じゃあ、礼儀正しくて、黙々と練習をする修行僧みたいに言われてるけどよ、はじめは生意気だったんだぜ」会長がさらに言った。「まあ、それくらいじゃねえと強くなれねえよ。おまえもさ、その威張ってる上級生なんか気にしてるようじゃ、駄目だ」

「じゃあ、苗場さんをやっつけます」

「苗場さん、とか言ってたら無理だって。苗場の野郎って言ってみな」会長は完全に、ぼくをからかっていた。「苗場」とぼくは口を開いたが、苗場さんが眼球を光らせ、こちらを睨んでいるのが目の端で見えた。あぐっと喉《のど》を詰まらせた後で、「さん」とぺこりと頭を下げた。

それから一年間、真面目にジムに通った。放課後、週に二回から三回、マンションの自宅に帰った後で、バスで十分、市街地まで出て、ジムで練習をした。はじめはぎこちなくて、コーチが言ってくる説明も理解できなかったけれど、だんだん慣れてくると、蹴りやパンチのリズムが身体に馴染《なじ》んで、楽しくなった。ミットを蹴る時の、ばちん、という衝撃が心地よく、ぼくは性的な興奮を知るよりも先に、キックの快楽を知った。

だからそのうちに、板垣のことはどうでもよくなった。もちろん彼も、「ヒルズタウン」に住んでいるから、時折、姿は目にしたけれど、だからといって彼に対して立ち向かおうという気持ちも薄れていた。板垣と闘うために強くなりたい、という目標から、「板垣と」が消えて、「闘うために」もなくなって、結局、「強くなりたい」という単純な動機だけが残った。

けれどそれも、一年だけだった。一年と少し経った夏、例のあれが起きたからだ。「八年後、小惑星が地球に衝突します」というニュースが流れ、世界中で混乱がはじまったのだ。小学生だったぼくは、事の重大さに気づくわけもなくて、「どうして今日は学校に行かないでいいんだろう」とか、「どうしてマンションから出るな、と言われたんだろう」とか、「テレビが特別番組ばかり流すのはなぜなんだろう」とか、細かい疑問を抱えていただけだった。ただ、小学校が閉鎖になり、父親が暴漢に襲われて肩から血を流して帰宅するような頃になると、さすがに異常な事態だと気がついた。

3

当然、ジムに通う余裕はなくなった。マンションはおろか、自分の部屋からも出てはならない、と釘を刺されたぼくは、はじめのうちは部屋で腕立て伏せや柔軟体操をつづけていたが、それもしだいにやらなくなった。

五年間は、あっという間だった、ともいえるし、長かったともいえる。小学生のぼくは、本来であれば高校生である年齢になり、背は十五センチも伸びた。にきびが頬や額にでき、異性への興味も出てきた。けれど、ぼくの周囲では異性はおろか同性の友人との付き合いも減り、噂によればずいぶんな人数が街からいなくなってしまったらしい。

ヒルズタウンを出て、どこか別の場所へ行ったのか、もしくは、死んでしまったのか。

「これで頭がおかしくならない奴は、もとから頭がおかしい奴なんだ」と言った人は、正しいと思う。ぼくの父親だ。彼は、「世界の終末」がはじまって、二年もしないうちに、部屋に閉じこもりがちになった。もともと小柄で、勤勉な印象の強い父だったが、神経質な小動物のように、臆病な態度を取るようになった。食事の最中に、わっと泣き出したり、奇声を上げたり、母に殴りかかったりもした。

ぼくは、あたふたと怯《おび》え切った父を見るのがつらくて仕方がなかった。彼から目を逸《そ》らし、自分の家には父親がいないのだと思い込もうとした。けれどそれで気分が落ち着くわけもなく、ぼくは部屋で膝を抱え、「許さない、許さない」と呟《つぶや》くことも多かった。惑星も父も、何もかも許せない。

不思議なことに、今年に入ってから、世の中が平穏さを見せはじめた。大荒れに荒れていた海が、波を少しずつ低くして、そして徐々に、静かな湖面のようになる。まさにそういう様子で、町に落ち着きが戻った。五年ぶりに祭りが終わったかのようだった。マンションの隣の部屋に住む、桜庭《さくらば》さんなどは、友人たちと定期的に、草サッカーをはじめたとも言っていたくらいだ。

「母さん、大変だね」とぼくが言ったのは、三ヶ月前だ。大変だね、と口に出せるくらいには、余裕が出てきたというわけだ。すると母は、「疲れた」と本当に疲れた声で答えた。そして、隣にいた父が、「これで頭がおかしくならない奴は」と例の台詞を叫んだわけだ。「本当にそうかもね」と力なくうなずく母を見ているうちにぼくは、「世界が終わらなくても、ぼくの家は終わってる」と確信した。

その後で、マンションを出た。すでに夕方近くで、公園を通り過ぎた頃には、西に傾きかけた陽射しが眩《まぶ》しかった。

仙台の市街地まで行ってみよう、と思った理由ははっきりしない。ただ、家にいたところで鬱屈した思いが増すだけで、足を動かし、ひたすらに歩きつづけているほうがよほどマシだ、とは感じた。

ほぼ、五年ぶりに通る道だった。片側一車線のバスの通る県道だったが、左右の溝に何台かの車が乗り捨てられている。

ぼくは歩道を進み、緩やかな坂を下り、気づくと、市街地の東端に位置する細い裏通りに入っていた。途中で何度か腹痛を感じ、何が理由なのかは分からなかったけれど、そのたびに道にしゃがんで、痛みをやりすごした。吐き気を催し、立ち上がって舌を出すが、何も胃からは出てこなくて、また歩きはじめる。

ジムが残っているとは思っていなかった。ましてや、そこで練習している人間がいるなんて万が一にもないと決めつけていたので、だから、ジムの前を通る時も窓を見ずに通り過ぎようとした。ちょうど、夕日が反射して、眩しかったせいもある。

けれどまさに通り過ぎる直前に、耳に音が飛び込んできて、ぼくは足を止めた。ばちん。ばちん。革を大きな鞭で叩くような、小気味よくも迫力のある響きが、耳を通じて、胸に飛び込んできたのだ。まさかな、なんていう気分で足を止め、ジムに向き直った。そして、「あ」と言ったまま、口が閉まらなかった。

窓の向こう側、ジムの中で、会長がミットを構えていたのだ。五年前と変わらない、鋭い目だ。少し白髪の量が増えただろうか。両腕にミットをつけ、腰を低くしている。その前に、上半身裸で、トランクスを穿《は》いた男が立っていた。拳を顔の前に置き、ローキックを連発している。ばちん、ばちん、と迫力ある音を繰り出している。鍛えられた身体から、汗の飛沫《しぶき》が飛ぶ。夕日がそれに跳ね返る。別の汗が、ゆるやかに背骨の脇を下っていくのも分かった。蹴りがミットにぶつかるたびに、ぼくの腹も弾んだ。

何だろ、とぼくは夢の中にいるような気分になる。何だろ、ここは。ここだけは、この二人だけは五年前と変わっていなくて、小惑星や隕石《いんせき》とは無関係のようだった。ミットの位置を変える会長と、それに合わせて身体を捻《ひね》る苗場さんの鍛えられた身体、それをぼくは、じっと、まさに食い入る思いで見ていた。

4

五年前の苗場さんは、大事な試合を前にしていた。キックボクシングのウェルター級のタイトルマッチで、王者の苗場さんは、三歳年下の富士岡という選手を相手に、闘うことになっていた。

古い鋼鉄は、新素材に勝てるのか？

当時のマスコミはこぞって、そう煽《あお》った。富士岡は金髪で髪も長く、どこか現代的な外見で、二枚目としてさわがれていた。身のこなしや着ている服からしても、育ちの良さが分かり、当時、小学生だったぼくも、「華やかな奴だなあ」と思ったくらいで、とにかく苗場さんとは対照的だった。

「苗場さんが、あんなちゃらちゃらした奴に負けるわけねえだろ」その頃、帰り道で一緒になった先輩の練習生がそう言った。十歳も年下のぼくを、その先輩はいつも対等に扱ってくれ、ぼくは確か、「当たり前だよ、苗場さんが負けるわけがない」と、やはり対等の生意気な口調で言い返した。

試合を盛り上げるためにだろう、雑誌などでは、苗場さんと富士岡の違いをことさらに強調した。

昔気質《かたぎ》で通好み、裕福とは言い難い、宮城県の田舎町の家で育った仙台在住の苗場さんと、外交官の一人息子で女性ファンも多く、都内在住の富士岡と。試合でのスタイルも違っていた。苗場さんは、ガードに関しては無頓着で、とにかく相手に詰め寄って、ローキックと左フックを繰り返す。パンチや蹴りを食らっても、ひたすらに前に出て、KO勝ちも多いが、攻撃に夢中になるあまり、いつの間にかガードが下がっていて、その結果、あっけなく倒されることもよくあった。一方の富士岡は、フットワークを駆使して、相手との距離を上手に取った。パンチやキックの威力はないが、的確に相手の急所を狙い、しかも、防御が上手なものだから、判定に持ち込めば、決して負けなかった。

「あんな女々しい闘い方をする奴なんてよ、はっきり言って、下らねえよ。やっぱりさ、客を沸かしてこその格闘技ってことを知らないんだよな」先輩はそう言っていたし、ぼくも同感だった。

マスコミも、「愚直で、不器用な闘い方しかできない」苗場さんを、「器用で、そつなく生きてきた」富士岡よりも、どちらかといえば応援している様子で、取り上げ方は公平を装いながら、それでも、観客を、「苗場贔屓《びいき》」に誘導しようとしている節があった。

けれど面白いことに、世間のムードはそうでもなかった。根性や気合いといった精神的なものを過剰にもてはやすことに、若者全般が拒否反応を示していた気配があった。昔から言われている、「結果よりも過程が大事」であるとか、「記録よりも記憶に残れば」であるとか、そういった傾向に対する反動が、強まっていた時期だったからかもしれない。

当時、いくつかの大企業が、「努力をしてみましたが、立て直せませんでした」と倒産を発表し、反感を買っていたことも影響があったに違いない。努力すりゃいいのかよ、と憤《いきどお》った人間は少なくなかったはずだ。綺麗事は真っ平だ、結果も大事じゃないか、と。だから、格闘技ファンの中では、富士岡を応援する声が多かった。「スマートに、傷つかず、けれど結果を残す」若い富士岡は、それなりに、若者たちの理想でもあったわけだ。

「苗場さん、富士岡なんて恰好《かっこう》だけで、弱々ですよね」例の先輩が、ジムで着替えをしている時に一度だけ、背中を向けている苗場さんに向かって、言ったことがある。

基本的にジムでは、ぼくたちは話をしない。雑談をするために来ているわけではないし、練習は仲良く楽しくやるものではないし、嫌な言い方になるけれど、ジム内の他人は全員敵でもあるからだ。練習に行けば、ほとんど必ず苗場さんと会うけれど、喋《しゃべ》ることはもとより、目を合わすことすら滅多になかった。

その時、苗場さんはゆっくりと首だけで振り返り、先輩をじっと見詰めた。鋭い刺すような視線で、先輩はぐっと押し黙り、隣にいたぼくもすくみあがった。よけいなことを言うな、と叱られるのかと思ったが、しばらくして苗場さんは表情を変えず、「富士岡は、強いですよ。たぶん、俺よりも、よっぽど上手《うま》いし」と言った。

ぼくも先輩も言葉の内容よりも、返事をしてくれたことに驚き、こくこくとうなずく。

「ただ、怖くはない。それに俺はやっぱり、勝つから」苗場さんは呟いた。

その声は決して大きくはなかったが、暗闇の中に冷たい鉱石が、ぽっと光るかのような、明瞭なものだった。

痺《しび》れを感じた。たぶん、先輩もそうだったに違いない。説得力の漲《みなぎ》る、迫力のある言葉だった。

反射的に、前に読んだ、格闘技雑誌のインタビューを思い出した。苗場さんがこう言っていたやつだ。「数字で表わせることに興味がないんですよ。数学苦手だったし。だから、何戦何勝何敗とか、あんまり意味がないんです。だいたい、勝ち負けって、試合の結果だけじゃない。試合を観終わった観客の気持ちとか、俺自身の気持ちとか、そういうのも含めて、勝たないと」

「なるほど」と相槌《あいづち》を打ったインタビュアーはきっと、苗場さんの言葉の意味を理解できなかったに違いない。「練習は好き？」と次の質問に移っていた。

「嫌で嫌で仕方がないですよ。あんな苦しいこと好きな奴、いないです」

「でも、やっぱり負けたくないから、自分に鞭打つわけだ」

「というよりも、あのオヤジが許してくれないですよ」と暗に会長のことを言う。それから、「でもとにかく俺は、いつも、自分に問いかけるんですよ」苗場さんの答えは、シンプルだけど、それを読んだぼくは、はっとさせられた。

「問いかける？」

「俺は、俺を許すのか？　って。練習の手を抜きたくなる時とか、試合で逃げたくなる時に、自分に訊くんです。『おい俺、俺は、こんな俺を許すのか？』って」

最後にインタビュアーが、「苗場君は結局、ローキックと左フックしかできないんだよね」と冗談まじりに言った時に、こう答えてもいた。「ローキックと左フックができて、それと、客を夢中にさせられれば、他に何がいるんですか」

ぼくと先輩は、苗場さんが部屋から去った後で、顔を見合わせて、無言でうなずきあった。「やっぱり苗場さんが勝つ」

けれど結局、試合は行われなかった。小惑星が発見され、ぼくはジムに通うどころではなくなり、苗場さんと富士岡のタイトルマッチは延期に延期を重ね、例の先輩はと言えば、食料の奪い合いの最中に、鉄の棒か何かで殴られて、亡くなった。

5

食堂で、うどんを啜《すす》っていた会長が顔を上げた。「でもよ、おまえ、どうしてまたジムに戻ってきたんだ」

練習の後、ぼくと会長、二人で夕飯を食べている。家に帰れば夕食はあるのだろうが、どうにも小腹が減って仕方がない。五年前までは、国立大学の学生用の食堂だったというその木造の建物は広いことは広いが、そのぶん寒々としていて、蛍光灯も半分以上が割れたままで薄暗かった。

厨房《ちゅうぼう》には、白髪頭のおじさんがいる。もともとは仙台市の公園を徘徊《はいかい》して、新聞を布団代わりに眠っている無職の男だったらしいが、そのさらにもともとは、うどん屋で修業を積んだ料理人だったという話だ。「本当のところ、もう生きる気力もなかったからねえ、きつい冬でもやってきて、ばっさり死んじまいたいなあ、なんて思ってたんだけど、そこでもうあの騒ぎがはじまっちまっただろ。ってなるとよ、ひねくれものの俺としてはもう、俄然《がぜん》、生きてやろうって気になったわけでさ」以前、顔を出したそのおじさんに話を聞いたら、葱《ねぎ》の臭《にお》いを振り撒《ま》きながら、饒舌《じょうぜつ》に喋りはじめた。今はこの食堂に勝手に居座り、うどんを作って、売っている。「小麦粉が手に入らなくなるまでだな、それまではここでうどんを作る。たぶん、一年も保《も》たねえけど」

「他にやることなかったから、だからジムに来たんだ」ぼくは、会長の質問に答える。たまたま通りかかった、苗場さんの練習風景が美しかったからだ、とは言いづらい。

「でも、ずいぶんおまえも変わったな。前に来た時は、もっと小さくて、あどけなかったのによ」会長の口は乱暴だが、温かみがあった。

「だって、五年前は小学生ですよ」

「そうだよなあ。今はもう十六かあ。ひでえもんだよな、おまえの十代はほとんど、隕石騒動じゃねえか」

「まあ、でも」ぼくは首を揺する。「みんな、そうだから」理不尽だ、と喚《わめ》いたり、恐怖に慄《おのの》いたり、もうどうにでもなっちまえ、と開き直るのは、とっくにやり終えている。十代の若者はとにかく、飽きやすくて、絶望するのにももう飽きたのだ。「だいたい、会長と苗場さんはいつから、ジムに来ているんですか」

「ずっとだな」会長が顔を伏せ、笑った。

「ずっと？　あんなに大騒ぎだったのに？」大半をマンションにこもって暮らしていたぼくでも、外での騒乱は想像がついた。悲鳴や物が壊れる音、警官や自衛隊の流す放送など、とにかく、荒々しい雰囲気が町には漂っていた。ヒルズタウンですらそうなのだから、仙台市街地はもっと酷《ひど》かっただろう。

「もちろん、暢気《のんき》に練習できたわけじゃないけどな、ただ、あいつはできる限り、毎日来てはサンドバッグを叩いてた。そういや、ジムに入ってきて、苗場に殴りかかった奴がいたぜ。二人」

「本当ですか？」

「一人は前から苗場に嫌悪感を抱いていた若者で、『前からむかついてた』とか威勢が良かったたな。もう一人は頭がおかしくなった男だったな」

「どうなったんですか？」

「最初、苗場も困ってたよ。素人相手に戦うのは、ジムとしてはご法度だろ」

この期《ご》に及んでそんなことにこだわる必要があるとは思えないのに、とぼくは呆れた気持ちで、うどんの残りを一気に、口に押し込んだ。すぐに胃が震え、うどんがせり上がってきそうになるけれどどうにか堪える。

「で、仕方がないから、練習生にしてやったんだ」

「え？」

「とりあえず、体験入門ってことで。まあ、殴り込んできた男に、『体験入門を許すから、これで練習生だな』って一方的に俺が言ってやっただけなんだけどな。そうしたら、後はまあ、喧嘩じゃなくて、練習だろ」

「ですか？」

「気持ちの上ではな。で、その後は、すぐだった。苗場が右のローキックで、相手の膝を二、三発叩いたんだ。相手は崩れて、立てなかった」会長は、持っていた割り箸《ばし》の一本を、苗場さんの脚に見立てて、もう一方の箸にぶつけた。苗場さんのローキックを、素人が食らったら、足はまともに動かないだろう。

「あいつは、今がチャンスだって言ってるぜ」

「今がチャンス？」

「他のジム生は誰も来ていないだろ？　だから今のうちに練習を積んで、さらに強くなるチャンスだってな」

「というよりも、うちはおろか、国内でも敵なしだったじゃないですか、苗場さんは」

「あいつの偉いのは、驕《おご》らないところだよ。いつだって、危機感を抱いてる」

開きっ放しのドアのところから、人が入ってくるのが見えた。会長の身体が一瞬だけ強張《こわば》った。ぼくも警戒する。とにかく誰か人を見たら、暴漢や盗人、もしくは狂人ではないか、と疑う癖ができている。入ってきたのは、落ち着いた動作の男女だった。ぼくは緊張を緩めるが、胸はむかむかとしていた。警戒ばかりの毎日に、神経がまいってきている。

「会長、どうですか、ぼくも結構、強くなってますか」帰り際、ぼくは席を立った後で、訊《たず》ねた。

「お世辞じゃなくて、おまえ、センスあるよ。小学生の時からも結構良かったしな。今も、再開三ヶ月目にしてはかなり、いいよ」

嬉しい気分になって、ぼくは拳を強く握った。

「でも、おまえも物好きだよな。こんなご時世、他にやんなくちゃいけないこと、あるだろうが」

それがないから困ってるんですよ、とぼくは答えようとしたが、そのかわりに、「会長に言われたくないですよ」と言った。

「そうか？」

「今日の練習の後半、長い竹刀《しない》を持ち出して、苗場さんを突いてましたよね。あれって、富士岡戦の対策じゃないんですか？」富士岡は、ぐんと相手の近くで伸びる前蹴りが得意だったはずだ。「五年前のタイトルマッチ、まだ、やるつもりなんですか？」と冗談めかして言うと、財布をいじっていた会長は、「うるせえな」と顔をしかめた。

「物好きですねえ」

ごちそうさん、と声を上げると、厨房からおじさんが顔を出した。うまかったよ、と会長がぶっきらぼうに挨拶をし、ごちそうさま、とぼくが頭を下げた。「今度は天ぷら作ろうと思ってんだよ」おじさんが歯を見せた。

「へえ」と会長が相槌を打つ。

「この間、県南の海に釣りに行ってみたらさ、もう、釣り人でごった返していて、すごいんだよ。考えてみりゃ、小惑星が接近してきても、海の魚には大きな影響ねえのかもしれねえな。あれで、食料を得てる奴ら、多いんだ。とにかくよ、も一回行って、釣ってくるからよ。そうしたら、天ぷら作るんだ」

将来の予定について語る人は珍しくて、だから、ぼくはしばらく、羨望《せんぼう》の目でおじさんを眺めていた。吐き気がおさまっている。

6

街からヒルズタウンへ歩いて戻る道すがら、苗場さんに関するあるエピソードを思い返した。たぶん、電信柱に貼られた、無数と表現してもいいくらいの、「尋ね人」の貼り紙が目に入ったからだろう。どれもこれも雨曝《あまざら》しのため、千切れたり、かすれたり、文字が滲《にじ》んだりしている。紙にくっついた写真が、三島さんの記憶を甦《よみがえ》らせた。

苗場さんの専属カメラマンをしていた、三島愛《あい》という名前のプロ写真家のことだ。どういう経緯《いきさつ》で苗場さんと知り合ったのか、教えてもらったことはないけれど、ぼくがジムに入門した時にはすでに彼女はいた。わざわざ東京から車でやってきて、ジムにカメラを持ち込み、男臭い空気の漂う中、練習中の苗場さんをひたすら撮影している彼女は、ジャンルこそ違うけれど、やはり、格闘家のようだった。当時の三島さんは、三十五歳で既婚、子供がいたのかどうかは分からない。ただ、「家は大丈夫なのか」と心配になるほど、苗場さんの試合について全国を回っていた。

三島さんの写真が、ぼくは好きだった。当時、小学生だったぼくとしては、「何だか、いい」と曖昧な感想しか口に出せなかったけれど、今から考えれば、三島さんの撮る写真には、凶暴さと静かさを矛盾なく抱えた苗場さんの姿がそのまま写っていて、だから、好きだったんだと思う。余計な小細工や気取りは感じられなかった。サンドバッグを蹴る瞬間の、鞭のようにしなる苗場さんの右足、その腿にくっきりと描かれる彫刻刀で彫られたかのような、筋肉の影、そして、周囲に誰もいなくなったかのような静寂が、一枚で表現されていた。

三島さんと喋ったことは一度しかない。たまたま、ジムにぼくしかおらず、写真の整理をしに訪れた三島さんと二人きりになる時があって、その時だけだ。小学生のぼくに、彼女は興味を持ってくれたのか、ジムに来るきっかけや格闘技の魅力について質問をしてきた。

「ひとつ訊きたいんですけど」ぼくから訊ねたのは、最後の最後だった。「どうして、苗場さんのKOシーンの写真ってないんですか」

「え」彼女は小さく驚いてから、「あるじゃない」と首を傾《かし》げた。

「いや、倒れたところとかじゃなくて、KOのパンチが当たった瞬間の。いつもその写真、ないから」年上の女性と喋るのに慣れていなくて、ごにょごにょと喋った。すると三島さんは軽快に笑い声を立てた。「あー、それね。それはさ。それは、見ちゃってるからだね」

「見ちゃってるから？」

「KOの瞬間ってさ、ファインダー覗《のぞ》いてる場合じゃないでしょ。そう思わない？　じかに見ちゃうしかないんだって」

「それ」ぼくは不思議に思って、さらに訊ねた。「それでいいんですか」

「いいんじゃないでしょーか」三島さんは愉快げに、あっさりと答えた。「一応ね、カメラは使ってないけど、わたしの中ではシャッター、押してるから」

「でも、写真はないけど」

「現像できないだけだよ」三島さんの口ぶりは、からかっている様子ではなかったけれど、ぼくはその頃、覚えたばかりの言葉を使って、「詭弁《きべん》だ」と言ってみせた。

「少年よ、これが詭弁だ」三島さんは開き直るように、胸を張った。

三島さんが亡くなったのは、それから一ヶ月もしないうちだった。雑誌の撮影に向かうため、夜に、車を走らせていたらしい。国道の交差点で、道を逸れ、ブロック塀に激突した。居眠りをしていた、だとか、信号無視の老婆を避けた、だとか、機材を忘れて慌ててUターンをするところだった、だとか、ジム内ではいろいろな話が出たけれど、真相は分からない。

三島さんの死後、苗場さんに変化はなかった。いつも通りに無口で、いつも通りに禁欲的に、毎日毎日の練習をこなしていたし、聞いた話だと、三島さんの葬儀にも出なかったらしい。

半年くらいして、ある写真家が、「専属カメラマンにしてほしい」と申し込みに来たことがあった。ぼくはその時の話を後から聞いたのだけれど、苗場さんは即座に、「いや、せっかくですが」と断ったという。

「今は、専属のカメラマンはいないと聞いたよ」大御所《おおごしょ》なのか、若手の新星なのか分からないけれど、その写真家は、断られるとは思ってもいなかったようで、たじろいだ。

らしい。すると苗場さんは、礼儀正しく、ぺこりと頭を下げた。「いや、もうすでに、いるんですよ」

「え、でも」と写真家があたふたとし、苗場さんは、「いるんですよ」ともう一度言い、「ずっと」と付け足し、深々と、お辞儀をした。「ずっといるんです。申し訳ないです」

苗場さんというのは、そういう人なのだ。ぼくにその話をしてくれた先輩は、誇らしげだった。不思議なもので、苗場さんの外見は、まさに鋼鉄を思わせる堅牢強固な印象があるし、いつも落ち着き払っていて、冷たい鉄色の雰囲気すらあるのに、苗場さんに関係したエピソードを思い出すたび、柔らかな羊毛で包まれるような、居心地のいい気持ちになる。

7

周囲は暗さを増していた。街灯も、点《つ》いているものと点いていないものが半々くらいのため、道を歩くのは心細い。極度に神経質になり、部屋にこもる父親と、その相手に疲れ果て、不眠症の亡霊のようになった母のいる部屋に帰る不安は、夜道を歩いている恐怖とどっこいどっこいにも感じられた。

坂道を上る。それにしても静かなものだ。争いの声もなければ、車のエンジン音もない。先月に、ぼくの住むマンションで籠城《ろうじょう》事件が発生し、その時は警察が現われてそれなりの騒ぎになったけれど、逆に言えば、それ以外には騒乱らしい騒乱は起きていない。恐怖に耐え切れなかったり、騒がしかったりした者たちは、すでにこの世の中から、かなりの数、減ったのだろう。

声が聞こえたのは、十分ほどしてからだった。ヒルズタウンの手前の、くねくねとした道を、放置された車を避けながら進んでいると、右方向に人の声がした。揉み合うような男同士の気配があり、はじめは言い争いかと感じたのだけれど、立ち止まって目を凝らすと、片方の男が、もう一方に懇願している様子でもあった。溝に落ちた、すでに粗大ごみ化したワゴンの脇だ。

「板垣」と思わず、口に出したぼくの声に二人の人影も動作を止めた。意外にも、懇願している弱々しい態度の男のほうが、板垣だった。彼は小学生の時と変わらず大柄で、肩幅が広く、ラグビー選手のようでもある。ただ、その身体を折って、前にいる男に縋りついていた。

「何だよ、おまえ」と板垣ではないほうの男が眉《まゆ》をひそめた。痩《や》せ細り、顎《あご》が尖ってい る。大きな眼鏡をしていた。名前は分からないが、その男にも見覚えがあり、慌てて記憶を探り、思い出した。小学生の頃、板垣に痛めつけられていた男だ。蹴られ、殴られ、侮《あなど》られ、板垣から暴力を振るわれる姿を、下級生のぼくたちに目撃されていた、あの男だった。当時とはまったく逆の構図であったため、混乱した。苛める側であったはずのあの板垣が、苛めていたはずの男に対し、取り縋っている。

「おまえ、どこかで見たことあるな。同じ町内の奴か」と眼鏡の彼が、ぼくに顎を向けた。迫力はないが、見下す口調だ。

「ええ」

「じゃあ、知ってるかもな。板垣は、俺のこと散々、苛めてくれたんだ。まあ、俺は大人だから、そういう昔のことは気にしないんだけどさ」と皮肉まじりの言い方をする。

「おい、頼むぜ。謝ってるじゃねえか。だから、許してくれよ」板垣は、ぼくを気にかける余裕もないのか、頭を低くした。相変わらず、歯の並びは悪そうだ。

「何がどうしたんです」

「おまえさ、方舟《はこぶね》のこと聞いてるか？」眼鏡の彼が表情も変えず、いや、若干嬉しそうに口元を緩め、言った。

「方舟」ぼくは一瞬、呟いてから、最近母が喋っていたのを思い出す。「本当か嘘か分からないけれど、シェルターみたいなのがあって、そこに選ばれた人だけが入れるらしいの」と母は力なく、抑揚なしに言うので、起きながらの寝言のようなものだと決めつけていた。「誰が選ばれるんだよ」とぼくが寝言に付き合うと、母は、「抽選なんだって」と視線の定まらない表情で答えた。

「映画とかでよくある話だけどさ、現実にそんなのあるわけないよ」

「隕石がぶつかるのだって、映画によくある話でしょ。何でもあるのよ」母は力なく溜め息を吐き、父のいる部屋のドアに目を向けた。

「俺の親父が、方舟の抽選の係なんだよ」眼鏡の彼は口を尖らせて、胸を張った。

「それ、本当なんですか」

「疑ってるのかよ。まあ、そういう奴らは信じないまま、死ねばいいよ」

「俺は信じるぜ」板垣の姿は痛々しくもあった。相手の服をぐいぐいと引っ張る。「だからよ、頼むぜ、俺も選んでくれよ」

眼鏡の彼は、板垣を引き剝《は》がそうとしながら、「頼まれてもよ、抽選だろ。どうしようもねえんだ」と言う。

「おい、頼むよ。聞いたんだ、抽選って言いながらも、結局は操作できるって。そうなんだろ。おまえの親父次第なんだろうが」

「人聞きの悪いことを言うなよ」

「何でもするから、頼むよ。俺と妹だけでも」

ぼくはその二人のやり取りを見つめながら、「あるわけがない」と思っていた。小惑星が近づいてくると分かった後で、こういった騒ぎは何回か起きた。方舟やシェルターの話も初めてじゃない。もし万が一、そういった政策が実施されていたとしても、こんな仙台の町の人間まで面倒を見てくれるとは考えにくい。しかも、一般の人間を抽選人にするなんて、そんなやり方で管理できるわけがない。ぼくが権力を振るう側の人間であれば、まず間違いなく、優秀な人間を一方的にピックアップして、秘密裡《ひみつり》にシェルターに入れる。もちろん、「優秀さ」を判断する基準なんてないから、そこは恣意的な、義理人情も介在する審査が行われるのかもしれないけれど、それにしても大っぴらな抽選などというシステムが採られるとは思いがたい。

たぶん、と考える。この眼鏡の彼も、その父親も、そして板垣をはじめ誰もが、シェルターの話に酔っているだけなのだ。噂を信じ、デマゴギーを真に受け、それに頼ろうとしている。シェルターの話自体が、精神的なシェルターになっている。きっと、そうだ。

「どうする。おまえ、方舟に興味あるなら、聞いてやるぜ」眼鏡の彼が、ぼくに言った。

「そりゃねえだろう。頼んでるのは俺だぜ」

「いえ」ぼくは首を振った。「いえ、ぼくはいいです」

「何だよ、おまえ、信じてねえのかよ」

「ぼくはいいです」そう言って、足早にその場を去った。不快感と悲しみ、恐怖が、胸中を満たしていた。人々という人々が我を失い、自分だけでも助かろうと藁《わら》をもつかんでいる光景が、我先に船に乗り込もうとする様子が、頭に浮かんだ。怖い。小惑星が落ちてくるまであと三年で、今は落ち着いているけれど、「終わり」が近づいてくればきっとまた世の中は混乱する。平静を保っているぼくも、藁にたかり、怪しげな噂に縋るかもしれない。助けてください、死にたくない、とおろおろするに違いない。それが途《と》轍《てつ》もなく恐ろしい。だんだんと歩く速度が速くなる。ぼくはどうなるんだろう、と泣き出したくもなり、激しい吐き気に襲われ、身体を折る。慌てて、苗場さんの背中を思い描いた。鍛えた身体で、拳を構えた、美しい鋼鉄の立ち姿だ。その揺るぎない力強さが、ぼくを少し楽にする。

8

ヒルズタウンに戻り、マンションの六階に帰ってきても気持ちは重かった。ドアを開けると、湿気の臭いが待ち構えている。ぼくたちの部屋は、どういうわけかマンションの中でも日当たりが悪く、年中、じめじめとしていた。もちろん、小惑星による異常気象とはまったく無関係だ。

靴を脱ぎ、居間に行く。少し前までは、ドアの内側に木材を並べて、閂《かんぬき》のようにし、暴漢が入ってこないように警戒をしていたけれど、それも最近はやらなくなった。気の緩みともいえるし、平和になった証拠ともいえる。「ただいま」と言うと、キッチンで、鍋を前にしていた母が、「おかえり」と感情のこもらない声で答えた。「今日、うどん屋のおっさんに聞いたんだけどさ、魚、釣りに行けば手に入るらしいよ。取り合いだろうけど。今度行ってこようか」

「ああ、そう」母の返事はそれだけだ。

「うん、そうなんだよ」ぼくは独り言を口にするかのようだった。

お世辞にも豪華とは言えないけれど、母の作った大根と里芋の煮物は美味しかった。箸がすっと入るくらいの柔らかさで、甘さと辛さのバランスもいい。うどんの後ではあったが、いくらでも食べられた。飽きない。母と向かい合って食卓に座り、黙々と手と口を動かす。父はいつものように部屋にこもっていた。ぼくたちの食事の後、母が料理を部屋へ運んでいく、というのが常だ。時折、父のほうから、ふらっと食卓にやってくることもあるが、結局は、皿を持って部屋に引っ込んでいく。

会話もなく、表情もなく、ただ、食事をしているのが苦痛で仕方がない。無味乾燥、という言葉が頭に浮かぶ。

今日が特別に不愉快だったわけではない。ここ最近の生活と変わったところはない。なのにぼくはいつも以上の苛立《いらだ》ちを感じ、とっくの昔に克服したはずの貧乏揺すりを、再発させていた。震わせる右足を、母がちらっと見た。見て、すぐに関心なさそうに目を逸らす。先ほど帰り道に、三島さんのことを思い出したからだろうか？　死ぬ、ということを久々に考えてしまったからだろうか。それとも、板垣を見たからか。終末を前に、自尊心を失った彼が、ぼく自身の未来の姿と重なったからだろうか。苛立ちが、足先から身体を昇ってくる。口の中が酸っぱくなった。

雨洩りの水が、ぼくの中で、ぴとんぴとんと溜まっていき、それがついに溢《あふ》れたようなものかもしれない。きっかけは、落ちた里芋だった。箸から滑り、胸元に当たり、顎を引いた時には、里芋が足元へ落ちていた。ぼくは椅子を引いて、身体を曲げ、それを拾おうとし、そしてそこで、「もう嫌だ」と爆発した。立ち上がり、食卓に箸を叩きつけた。食器が浮き、音を立てる。母は目を見開いて驚いた顔をしたが、大きな反応は見せない。

ぼくは後ろを向き、居間から出ると、大股で廊下を進んだ。父の部屋の前に立つ。ドアを叩いた。「出てこいよ」と声を発した。父にそんな風に、乱暴な言葉を発したのははじめてのことだ。「隠れてないで、出てこいよ」

返事はなく、ぼくは何度も何度もドアをノックする。「出てこいよ。逃げないで、出てこいって」

諦《あきら》めて、居間に戻った後だった。気づくと背後に、父が立っていて、ぼくは、はっと振り向く。目を充血させ、白髪まじりの髪を伸ばした父は、またいっそう痩せ衰えたようだ。口のまわりの髭《ひげ》にも、垢《あか》なのか食べ滓《かす》なのか、汚れが目立つ。

「おい、おまえ、父親に向かって、何言ってるんだ」父は目を見開いて、声を張り上げた。口から唾《つば》が飛び、生臭い口臭がぼくを突く。「偉そうな口利くんじゃない」

「出てこられるんじゃないか」

「何だ、その口の利き方は」

「部屋にこもっていて、何か変わるのかよ？　隕石が消えるのかよ。逃げるなよ」

「おまえに、俺の気持ちが分かるか」と父は、ありきたりとも言える台詞を喚く。母はと言えば、食卓に座ったまま、こちらを見ていた。止めに入る様子はなく、疲労感を発散させているだけだ。

「あと三年だろ」ぼくは指を三つ立てる。「どっちにしろ三年なんだ。せいぜい、平和に暮らしたいと思わないのかよ」

「世界の終わりが平和なわけねえだろうが」

「世界をどうこうしろって言うんじゃないんだ。この家だよ。世界は無理でも、この家くらいは、俺たちくらいは平和に暮らせるだろ。違うのかよ。そうしようって、父親なら思わねえのかよ」

「何も知らねえ奴が、生意気なこと言いやがって」

父は拳を握ると、腕を振り回してきた。ぼくは両肘《りょうひじ》を折り、防御の体勢を取る。前腕部の外側で、父のパンチを受ける。軽いパンチだった。まるで痛くない。音すら鳴らない。ぼくは顔を沈め、腕での防御をつづける。

背広を着て、髪を整え、海外出張の時に買ってきたという自慢のバッグを抱え、出勤をしていた五年前までの父の姿が、思い浮かんだ。あの男はどこへ行ったんだよ、親父。

錯乱した調子でぼくに殴りかかっている目の前の男とは、似ても似つかない。あの男を返せよ、親父。悔しいな、と思った。

「あなた、やめなさい」母がようやく、席を立ったが、ぼくと父のどちらに言ったのかは判断できない。

父は息を切らし、動きを止めた。ぼくはそれで終わりかと思ったのだけれど、直後、父は動物じみた奇声を上げ、置時計をつかんで殴りかかってきた。

反射的だった。ぼくは、すっと身体を横に避け、そして、左足に体重をかけると、右脚を浮かせ、父の脛《すね》を狙って、振っていた。父の左の脛に当たる。足の甲に衝撃がある。同時に父が無様な悲鳴を発した。身体を斜めに傾けている。

ぼくは考える間もなく、つづけて今度は、ハイキックを繰り出す。練習で何度もやった動きだった。ふん、と息を洩らし、身体を捻る。父の顔面めがけて、右脚を動かす。けれどまさにその瞬間、頭にどういうわけか苗場さんの言葉が過《よ》ぎった。「おい俺、俺は、こんな俺を許すのか?」

父の頭にぶつかるまさにすんでのところで、キックを止めていた。

9

家を飛び出そうとしたぼくを、母が呼び止めた。いや、わずかにしか声が聞こえなかったから、呼び止めたのか罵《ののし》ったのか区別もつかない。希望的な推測からすればそれは、「こんな夜に、危ないから、やめなさい」という声だったはずだ。ぼくは振り返らず、エレベーターへ向かった。

夜道を行く恐怖と、悶々《もんもん》とする怒りや苛立ちのために、休まずにひたすら走った。呼吸が苦しくなり、足が疲れた。一度立ち止まり、道の真ん中で、ぶわっと嘔吐《おうと》したけれど、また走りつづけ、気づくとジムの前に戻ってきている。肩で息をし、口を袖で拭《ぬぐ》い、入り口の前に立つ。電気の消えた建物自体が、すでに、眠っているかのようだ。

ジムに入ろう、とドアに手を伸ばしたが、鍵が閉まっていた。仕方がないので裏手に回る。本来は閉め切った勝手口なのだが、昔から、夜にそこを使って侵入するジム生の話は聞いていた。もちろん、こそこそとしたことを嫌う会長は、裏口から入った者がいると、ひどく叱りつけていたけれど、今さらぼくのことを追い出すとも思えず、だから、はじめてのことではあったが裏口に行った。ドアの前には古い冷蔵庫や健康器具が置かれていたので、それらを順番に脇へどけていく。ドアは黴《かび》を生やしゆがんでいて、乱暴に引くとノブが取れるのではないか、と心配もあったが、うまくいった。靴を持ったまま中に入り、入り口へと向かう。靴を棚に置くと、いつものように、ジムに向き合って、「よろしくお願いします」と頭を下げた。電気を点けた。鏡にぱっと自分の姿が浮かび、少し驚く。

酷い顔だな。

目が充血し、ニキビが赤く腫《は》れ、髪は散切《ざんぎ》りに近い。何よりも、暗い。自分でもそう思った。暗く、憎んでいる顔だ。何を憎んでいるのかは分からないが、何かを憎んでいることくらいは、ぼくにも分かる。

柔軟体操の後で縄跳びをした。殴ってきた父の拳や自分の蹴り出した脚のことを忘れようと、必死に跳ぶ。けれど、苛立ちは治まらない。跳ぶたびに嫌な記憶が破裂するのだけれど、床に着地するとまた元に戻る。サンドバッグを叩く。息を止め、連打する。拳の当たった音、サンドバッグの軋《きし》み、肌に浮かぶ汗、確かにそれらがぼくを少しずつ楽にした。ただ、やめるとすぐに、頭に赤黒い思いが甦《よみがえ》る。切り傷から出てくる、血のようだった。拭いても、しばらくすると、じわっと血が溢れてくる。拭いても、拭いても、しつこく出てくる。

三十分ほどやったところで、大の字で横になった。そんなことをするのははじめてのことだ。天井が見える。埃のついた大きなパイプがいくつも組み合わさっていた。換気扇も見える。自分の呼吸に合わせて、身体が上下した。

苗場さんはどうして、ああも落ち着いているのだろう。

しばらくしてふと思ったのは、そんなことだった。世界の終わりが近づいているというのに、五年前とまるで変わらない、泰然とした様子で、練習に打ち込んでいる。試合があるはずもないのに、会長と一緒に対策を練り、真剣に取り組んでいる。何なのだろう、あれは。ぼくは不思議に思い、そしてこれは本当に失礼だけれど、苗場さんって馬鹿なのかな、と考えた。いや、本当に失礼だけど。

ジムの奥にある、着替え室へ行った。埃と汗の沁《し》み込んだ、独特の臭いがする。五年前はそれこそ、苗場さんに憧れてやってくるジム生が大勢いて、この部屋にもぎっしりと人が詰まっていた。ロッカーが人数分あるわけもなくて、銭湯の脱衣所よりも酷かった。棚がいくつもあって、それぞれ、空いている場所に籠《かご》を置き、鞄《かばん》や服を突っ込んでいた。今となってはがらんとしたものだったが、それでも、練習生が置いていったジャージやグローブ、タオルが転がっている。

特に意図があったわけではないけれど、入って左手の棚に近寄った。親しくしてくれた、あの先輩がよく使っていた場所だ。くしゃくしゃになった紙袋が置かれていることに、今さらながら気がついた。すでに薄汚れて、破けかかっている袋は、ごみとしてしか認識できなくて、中を覗く、という考えも浮かばなかったのだけれど、どういうわけか急に気になり、袋を引っくり返していた。がさごそと紙が床に落ちた。

ああ、と拍子抜けしたような、合点がいったような、気持ちになる。どれもこれも、苗場さんの記事の切抜きだった。雑誌や新聞から、先輩が探してきたものだろう。慌ててしゃがみ、それを掻《か》き集めた。

写真に写った苗場さんは、どれを見ても鋭い目をしていた。演じているのではなく、内面にある信念のようなものが、目から零《こぼ》れているようだった。それを一枚一枚重ねて、再び、袋に戻そうとしたが、その中の一枚が目に入った。ある映画俳優との対談だった。饒舌さが売りの、派手なその俳優と、無口で愛想がない苗場さんとのやり取りはあまりに嚙《か》み合わず、気の利いた掛け合い喜劇のようで可笑《おか》しかった。しゃがんだ姿勢のまま、全部、読んだ。「苗場君ってさ、明日死ぬって言われたらどうする？」俳優は脈絡もなく、そんな質問をしていた。

「変わりませんよ」苗場さんの答えはそっけなかった。

「変わらないって、どうすんの？」

「ぼくにできるのは、ローキックと左フックしかないですから」

「それって、練習の話でしょ？　というかさ、明日死ぬのに、そんなことするわけ」可笑しいなあ、と俳優は笑ったようだ。

「明日死ぬとしたら、生き方が変わるんですか？」文字だから想像するほかないけれど、苗場さんの口調は丁寧だったに違いない。「あなたの今の生き方は、どれくらい生きるつもりの生き方なんですか？」

ぼくは目をすっと瞑《つむ》り、少しの間、気持ちを落ち着かせた。棘《とげ》を作るように、高く荒れていた気持ちの波が、ゆっくりと平らかになってくる。それから、対談の最後、苗場さんが発言した、「できることをやるしかないですから」という言葉を反芻《はんすう》し、こくりとうなずいていた。

先輩の袋から飛び出したのは、記事のほかに写真もあった。大きな白黒の写真で、その光の加減や雰囲気から、三島さんの撮った写真だと判断できた。

苗場さんがランニングをしている写真だ。深夜の公園を一人で、黙々と走る姿で、地味で動きのない構図だったけれど、その静寂と苗場さんから立ち昇る湯気のような熱気が、美しく捉《とら》えられている。恰好いい、と思うと同時に、「できることをやる」という言葉がまた甦った。黙々と、不器用に、でも、やることをやる。それしかないだろうに、と苗場さんが走っている。他にどうするって言うんだ、と。自分でも気づかないうちに涙を流し、写真を抱えたままゆっくりと横になり、眠っていた。

10

起きると、音が聞こえた。もしくは反対で、音が聞こえたから起きたのかもしれない。とにかく、ゴングが鳴って、ぼくは身体を起こした。枕にしていたのは誰かの置いていったシューズだった。はっと気づき、汚いな、と放り投げた。写真や記事はなくなっていた。起き上がって棚を見れば、紙袋は元の位置に戻っている。もしかすると、昨日、紙袋をあらためたのは夢だったのかもしれない。ただ、再度、袋の中身を確かめる気にはなれなかった。

部屋を出るとリング脇で、苗場さんが縄跳びをしていた。時計を見る。午後の二時を過ぎている。寝すぎた自分がひどく情けなく感じられたが、頭はすっきりしていた。冴《さ》え冴《ざ》えというほどではないが、痛みや重苦しさはない。父と母の顔も、冷静に思い出せた。それから、あの生気を失った両親を許すべきではないか、と唐突に考えたが、けれどすぐに打ち消した。

やるべきことをやるしかない。

ゴングが鳴り、苗場さんが縄跳びをやめた。おもむろに、入り口近くにいた会長が立ち上がり、身体を動かしはじめる。

「おはようございます」と近寄ると、「ああ」とだけうなずいた。昨日、勝手にジムに入ったことにも、眠っていたことにも、会長は触れなかった。

会長はミットを両手につけ、自らの動きを点検するように鏡を見た。ゴングが鳴り、ぼくは縄跳びをはじめる。

ばちん。革が叩かれる、激しい音が背中から聞こえた。ばちん、ばちん。苗場さんが、会長相手にミット打ちをしている。心地いい響きだった。次のゴングが鳴った。今度は鏡に向かって、拳を構えてみる。

「おい、おまえさ、苗場とやってみるか」その時、背後から会長に声をかけられ、ぼくはびくんとして振り返る。

腰に手をやった苗場さんが鋭い目で、会長を、それからぼくを交互に見た。

「はい？」

「スパーリングやってみたら、どうだ」会長が嬉しそうに、挑発めいた口ぶりで言う。

「え」

「俺は強いぜ」苗場さんがぽつりと、ぼくを真っ直ぐ見たまま口を動かした。引き締まった筋肉が、呼吸に合わせて動く。静かながら、迫力があった。体格はぼくとおなじくらいであるはずなのに、ずっと大きく見える。

「ぼくも負けないですよ」唾を呑んだ後で、答えた。はじめて、苗場さんと交わした会話だ。

「無理だ」苗場さんが短く、言う。でもいずれ、とぼくは小声で唱える。

天体のヨール

1

目の前に、二ノ宮の顔があった。大学卒業以来、彼とは会っていないから、当然それは大学時代の、つまりは二十年も昔の二ノ宮に他ならない。肌はつやつやとして色白で、幼くも中年にも見える。いつもそういう不貞腐《ふてくさ》れた顔をしているからみんなに敬遠されるのだ、と俺はよく指摘をしたが、すると彼は眼鏡を触りながら、「そうやって、人の気にすることを、あけすけに言ってくる矢部君こそ嫌われてるんじゃないの」と返事をした。「おまえが一人で昼飯を食ってるのが可哀想だから付き合ってやってんだろうが」と俺が言い返しても、一向に気にしなかった。

「最初に起きるのは洪水なのか？」俺はそう訊《たず》ねている。大学構内の食堂だ。十年ほど前に改装されたと聞いたが、目にはもちろん昔のままの食堂が浮かんでいる。

「違うよ、衝撃波だって」二ノ宮は眼鏡の鼻にかかる部分を指で押し上げた。「よく核実験の映像とかであるでしょ。爆風っていうやつ？　あれが周囲をまず、破壊するんだ。巨大な物質が高速でぶつかれば、すごいエネルギーになるわけだから。想像を絶する大地震だね、ぐらぐらっとさ」

同じ理学部ではあっても、俺にとって天文の分野は遠い世界の話に思える。

「直径はどれくらいだったんだっけ？」

直径十キロの小惑星。秒速はどうなんだろう、二十キロくらいかなあ」

直径十キロ秒速二十キロ、と言われても想像しづらかった。確かに、それくらいの大きさの岩が降ってくれば、恐ろしいに決まっているが、けれど、それで世界が壊滅状態になるとも思えない。どかん、と落ちて、その一帯は潰《つぶ》れるけれどそれでおしまいではないか、とそんな気もした。

「爆風の後は、洪水だね。地球の大半は海なんだから、たいがい、海に落ちる。それで、津波が襲ってくるわけ」

「落ちた小惑星はどうなるんだ」

「粉々に砕けて、それがまた、空に跳ね返って、今度は散弾銃のように、降ってきたりさ、空中を漂って、太陽の光を閉ざすんだ」

「あれだな、衝突の冬だ」それくらいなら知っていた。

「でね、気温が下がって、植物が死んで、動物もやられていくんだよ」

「それが、恐竜の絶滅ってわけか」

そうだ、あの時の俺は、恐竜について二ノ宮に訊ねていたのだ。

「でも、それって証拠はあるのかよ。それらしく、小惑星がぶつかったとか言われても嘘くせえじゃんか」

「一九七八年に、メキシコのユカタン半島で、直径百八十キロ、深さ九百メートルのクレーターが見つかったんだよね」

「でかいな、そりゃ」仙台から福島県のほぼ南端まで達するではないか。

「で、その周辺には、イリジウムが多く検出されて、地層にも洪水の跡があったんだって」

「イリジウムって何だよ」

「隕石《いんせき》によく含まれてる物質なんだけど、つまりさ、六千五百万年前に、恐竜を全滅させる原因となった小惑星は、そこに落ちたっぽいわけ。状況証拠的に」

「状況証拠的に、ですか」何だか実感が湧かずに俺は、気のない返事をして、それから半ば儀礼的に、「そういうのってよ、俺たちは大丈夫なのか？　そういう小惑星がまた落ちてくる可能性はあるんだろ」と言った。

「一億年に一回くらいじゃないのかな」

「そんなもんなのか？　小惑星とかって少ないわけ？」

「何万個もあるよ。でも、今はほとんど軌道が分かってる。今後何千年先まで考えても、地球に寄ってきそうなのはない」

それはそれでつまらないな、と贅沢なことを思いながらも俺は、当時、読んだばかりの新聞記事を思い出し、「この間、三十年以内に三百分の一の確率で衝突する、って記事があったぜ」と粘ってみた。

「そんなのはさ」二ノ宮は面倒臭そうに口を開いた。直後、彼の表情が、がくっと斜めに傾き、俺ははっとする。徐々に輪郭が崩れ、目の前にいる二ノ宮が揺れる水溜りのような模様になる。頭を振る。やはりこれは現実ではなく、溢《あふ》れた記憶に過ぎないのだな、と思ったのと同時に、落下した。内臓がふわっと持ち上がった感覚がする。そして、身体《からだ》が揺れる。頭の中に重い響きがあった。尻餅をついたと気づくのに、時間がかかる。今、自分がいるのはマンションの居間なのだとしばらくして分かった。踏み台にした椅子が横に転がっていて、頭上には天井にひっかけたロープが切れ、揺れていた。ロープのかかっていた首周りに痛みを感じる。

2

もう一度、ロープを結び直そうと俺は立ち上がった。不意にそこで、何年も前に自分が、社員に言った台詞《せりふ》が頭を過《よ》ぎる。「数少ないチャンスを、ものにしないでどうすんだよ。死に物狂いで、チャンスには嚙《か》みつけ」

　どういう状況で口にしたのかは忘れたが、おおかた、営業社員を叱った時だろう。うちは小さい会社なんだから、多少強引にでもやらないと駄目だろうが、と俺はいつも声を荒らげていた。

「怒ってばっかりの社長じゃあ、みんな逃げてくよー」五年前に亡くなった妻の明るい声が聞こえた。目の前の食卓に片肘《かたひじ》を突き、目尻に皺《しわ》を作っている、彼女のそんな姿まで見えそうだった。

「俺が怒ろうが怒るまいが、小惑星が落ちるとなったら、社員は全員逃げていったじゃないか」と俺は内心で、答える。千鶴《ちづる》の姿は消えた。

　足元に眼鏡が転がっている。老眼鏡だ。四十歳は過ぎたものの、俺は老眼鏡をかけるほどの年ではない。ずっと昔に亡くなった父の形見だった。棚にしまっていたつもりだったが、今、俺が尻餅をついた振動で、どこからか落ちたのだろう。

　電話が鳴り、びくっと身体が震える。まだ電話が使えること自体に驚きを覚える。以前、受話器を耳にあてたことがあったが、その時は、話し中の音が繰り返されているだけだった。そうだ、五年前、妻が亡くなった時には音さえ鳴らなかったはずだ。復旧したのだろうか。

「矢部さんのお宅ですか？」電話の主は男だ。他人の声を耳にするのは久しぶりだった。

五年前に、あと八年で世界が終わってしまう、と分かって以降、耳に入ってくるのは、逃げ惑う者たちの悲鳴や罵声《ばせい》、泣き声や口論の声、もしくは自分の洩《も》らす嗚咽《おえつ》ばかりだったから、そののんびりとした物言いが新鮮だった。正座をしたまま、電話機に向かい合う。何と答えるべきか逡巡《しゅんじゅん》していると、「矢部君？」とつづけて言ってくる。

「え」

「ああ、良かった。同窓会名簿を引っ張り出して、電話番号見つけたんだけど、繋《つな》がるかどうか心配だったんだ」

その、愛想があるのかないのかも分からない、もそもそとした喋《しゃべ》り方に最初は戸惑ったが、次に、「矢部君さ、僕、見つけたっぽいんだよね」と馴《な》れ馴れしい声がつづくのを聞いて、ああ、と思った。「二ノ宮か」

「そうだよ、そうそう。でさ、僕、新しい小惑星、見つけたかもしれないんだ」

「まだ生きてたのか」

「酷《ひど》い、言いようだなあ」と二ノ宮は言うが、俺はふざけて質問をしたわけではなかった。このご時世、生きているだけで充分、貴重だ。自分の手を見る。再び自殺を試みる前に二ノ宮に会っておくかな、と考えた。

3

二ノ宮は仙台西郊の、在来線で行けば数駅という町に住んでいるらしく、俺は車を運転してそこまで向かった。こうして車を無事に走らせることができるなんて、少し前までは想像もできなかった。理由は分からないが、ずいぶんと治安が回復している。

目指したのは、住宅地といっても疎《まば》らにしか家が建っていない地域だった。国道沿いの場所で二ノ宮は待っていた。とうの昔に閉店したガソリンスタンドの敷地だ。助手席に彼を乗せ、指示通りに彼の自宅へと向かう。二十年ぶりの再会はひどく呆《あっ》気《け》ない。

「今日は、驚きっぱなしだ」俺は隣に座る二ノ宮に言った。

「へえ」

「まず、車が動いたことに驚いた。駐車場に置きっぱなしだったんだが、ボンネットが凹んでいたくらいでさ、鍵を捻《ひね》ったらエンジンがかかった。ガソリンを抜かれてなかったことにも驚いたし、運転できたのもびっくりだったな。五年ぶりくらいで運転したけど、意外に忘れてないもんだ」

「運転のやり方は手続き記憶というのに分類されるからね」当然だよ、という風に彼は言う。

「懐かしいな」俺は笑った。

「何がだい」

「その喋り方だよ」抑揚がなく、知識を披露する二ノ宮の口調は周囲に評判が悪かった。見下される気がする、と俺の友人は嫌な顔をよく、した。

「そう？」二ノ宮はぶすっと答える。「五年前に運転したのは、終末がはじまった頃のこと？」

「ああ、そうだったな」俺はうなずく。「どこか安全な場所に逃げようと思って、千鶴と一緒に車に乗ったんだ」

「安全な場所ってどこなのさ」馬鹿にするような目で、彼がこちらを見てくる。「そういえば、千鶴さんは元気なの」

俺は二番目の質問には答えたくないから、「あの時は、マンションを出たはいいけど、酷い渋滞に巻き込まれてさ、結局、前にも後ろにも行けなくなって、二日がかりでマンションに戻るのがやっとだった。あいつら、みんなどこに行くつもりだったんだろうな」と答えた。

「他にも驚いたことがあるわけ」

「そりゃあれだ」俺はハンドルを切りながら、二ノ宮をちらっと見る。「おまえが全然変わってないことだよ。二十年経っても、外見があの時と全然変わってねえし」

「矢部君は老けたねえ」

俺はいきなり腹を小突かれた気分で、苦笑いをする。「二十年経ってんだから、おまえみたいに変わってないほうがやばいだろ」

「眉間《みけん》に皺は刻まれてるしさ、目の下に黒い隈《くま》ができてるし。矢部君、苦労したんだなあって思ってさ。人殺しの目だ」

「人殺しを見たことあるのかよ」と俺は言いかけたけれど、やめた。見たことがあってもおかしくはない。「おまえの言い方は相変わらず、相手をむっとさせる」

「こういう喋り方しかできないんだ」謝る彼の声には、「申し訳ありませんが操作をはじめからやり直してください」と言うキャッシュディスペンサーの音声なみにしか、心がこもっていなくて、その点も昔から変わっていない。

そこを左、突き当たりを右、と誘導されるがままに車を走らせる。大きな建物がないせいか見晴らしがいい。ハンドルを回すのはまだしも、ブレーキを踏む力加減が分からず、何度か前のめりになった。

「このあたりの町もずいぶん、人が減ったんだろ？」俺は周囲を見渡しながら訊ねる。一戸建ての家がぽつりぽつりと建つ、隙間の多い団地だ。人の住んでいる気配はあまりない。ガラスが割れ、駐車場の屋根が倒れている家もある。

「減った、と思う。僕はあんまり興味がないから分からないけど」

「昔と同じで、人より星のほうに興味があるのかよ」

「まあね」

「天体オタクだなあ」と俺が言うと、二ノ宮が微笑《ほほえ》んだ。それを見て気づく。俺は二十年前にも同じことを言っていたのだろうな。思い出せないけれど、たぶんそうだ。

4

二ノ宮の家はずいぶんと静かだった。暖房が入っているのだろうが、寒々とした印象がある。物寂しさが漂っているのだ。和室に通され掘りごたつに足を入れて座ると、部屋の隅のサイドボードに、老夫婦の写真が飾ってあるのが目に入った。二ノ宮の両親に違いない。おそらく、不在なのだろう、と俺は理解する。俺の妻が不在なのと同じ意味合いで、不在なのだ、と。

「これなんだよね」二ノ宮は奥の部屋から持ってきた写真を、卓上に置いた。一緒に湯呑みも寄越してくる。中には、緑茶が入っていて、心地よい渋みのある香りが鼻を撫でた。「一昨日《おととい》、撮ったんだけど」

夜の空に光る星の写真だった。A4の紙ほどのサイズで、黒い背景に白の点がいくつもついている。

「綺麗だ、って言えばいいのかよ」

「違うって、ここ」二ノ宮はむすっとしたまま、指差した。写真の中心に位置する、白い点だった。二つの星が少しずれた位置で、並んでいる。

「これが？」

「嘘でしょ、忘れたの？　学生の時に、小惑星の見つけ方って、僕が教えたじゃないか。天文台に行った後に」

「おまえが？　俺に？」記憶になかった。

「やっぱり聞き流してたんだなあ。必死に説明したのにさ、学食で。手作り望遠鏡の作り方とかも教えたけど、忘れてるでしょ。当時は、感心したふりしてたくせに」

あったかもしれない、とは思うが、思い出そうとはしなかった。学生時代の俺はよく、友人のいない二ノ宮に声をかけていた。けれどその動機の半分は暇だったからで、残りの半分は人助けのつもりだったから、内容は覚えていなかった。

「二ノ宮君は別に、友達なんてほしくないんじゃないの」と当時、千鶴が言った。「友達になってあげよう、なんてさ、見下した感じで嫌だなあ」

「でもさ、二ノ宮を見てると、自分が勝ち組に思えるのは確かだな。あれよりはマシな気がして」

「その、勝ち組とかいう言い方って、品がなくて、嫌な感じ」千鶴はたしなめるように言った、と思う。

「しょうがないなあ」と二ノ宮はぶつぶつと言いながら、写真の説明をした。どうやらその星の写真は一定の時間をおき、二度撮影をしたものらしい。確かに、星が二重に写っている。「縦にずれている」と俺は気づく。星はいずれも、縦にずれて写っているのだ。

「そうそう。二回目に撮影する時に少し望遠鏡を縦にずらしてるわけ」と言って、そのほうが移動している天体を見つけるのに適しているのだと、とうとうと説明をしてきたのだがよく理解できなかった。自分の守備範囲のこととなるとやたら饒舌《じょうぜつ》になる。このへんも変わらないな、と感心した。

「ほら、ここ見てよ、ここの星だけ、横にもずれているじゃない」

彼が指差した先に目を近づける。なるほど、と俺もうなずく。他の星がすべて、縦にしかずれて写っていないのに、その白い点だけは斜めにずれて写っていた。「つまりさ、これは移動している星ってことだよ。小惑星だ」

「で」

「で、って、矢部君は本当に鈍いよねえ」

学生時代、鈍くて太い、と陰で蔑《さげす》まれていたおまえに言われたくない、と思うが、「でもよ」と写真に目を近づけた。「これが移動している小惑星だってことは分かったけど、新しいものだってのはどうして分かるんだよ」

「勘だね」二ノ宮が当たり前のように答えた。

「何だよそれ」

「というかさ、だいたい分かるんだよ。ここに、こんな明るさの小惑星はなかったな、とかさ」

「そんなんで新発見って認められるのかよ」

「もちろん、違うよ。とりあえず、この座標とおおよその明るさと大きさをもとに、スミソニアンに問い合わせてさ、で、すでに発見されている惑星かどうか確認するわけ」

「スミソニアンって何だっけ」と言いつつも、確かそんな名前の天文台があるんだったな、と気がついた。「今も、まだ機能してるのか」

「機能してるのか、って何が」

「そういう天文台っていうか、天文学のもろもろだよ。小惑星が落ちてくるなんてことになってさ、一番責任を追及されるのはそういうところじゃねえの」今まで思ったこともなかったが、考えてみればそうとしか思えなかった。世界が小惑星の衝突に怯《おび》えている今、もっとも必要とされ、同時に憎まれているのは、天文学の分野ではないのか。

「あと三年で小惑星が、地球に衝突するんだぜ。どうして、今まで発見できなかったんだ、ってみんな思ってるはずだろ。俺だって、おまえが落ちないって言ったから、安心してたのによ。そうだそうだ、そう言えば」一時間ほど前、自宅でロープに首をかけた直後に思い出した記憶を持ち出す。「昔、新聞記事でよ、三十年以内に、三百分の一の確率でぶつかる小惑星、って話があっただろ。あの時、おまえはぶつかるわけがないって言ってたじゃねえか」

「うん、言った」

「三年後に衝突するのは、あの時の小惑星じゃねえのかよ」

「違うって。あれは全然違う」二ノ宮は専門家然とした、落ち着いた言い方だった。「だいたいさ、その時も説明したと思うけど、三百分の一の確率ってさ、いったい、何を言い表わしてるのさ。何が、三百分の一なわけ。どういう確率なのか、誰も分かんないよ。そんな数字に意味はないんだ」

「そりゃ、あれじゃねえの、その小惑星が三百個動いていたら、一個ぶつかるっていうか」

「矢部君、それ本気で言ってるの？　三百個あったら、一個当たる、ってどういう意味？」

「ニュースでやってたじゃんか」

「ニュースでやってることが全部、本当だったら世話がないって」二ノ宮の声は、まさに二十年前と同じだった。そして、「あの時も説明したのになあ」と責めるように言うのを聞いた瞬間、俺は、再び、二十年前の学食に飛ばされた気分になる。安っぽいトレイに載った鮭や味噌汁を挟み、二ノ宮と向かい合う。そうか、確かにあの時も説明されたのだ。

「ああいう、小惑星衝突とかのニュースはさ」と彼は声を高くしている。四十歳を超えた今の二ノ宮なのか、それとも学生時代の彼なのか、判断がつかない。「そういうのはさ、ただ、煽《あお》ってるだけだって」

「煽る？　誰をだよ」

「みんなを。科学者ってのはさ、予算がほしいんだ。そうでしょ？　誰だって、自分の研究に予算を出してもらいたいんだって。でさ、どういう研究になら金が出ると思う」

「有意義な研究だろ」

「矢部君、本気で言ってるの？」

「まあな」

「有意義な研究ほど、地味でつまらなかったりするんだって」

「そうかあ？」

「お金っていうのは有意義な研究じゃなくて、面白そうな研究とか役に立ちそうな研究に、集まるんだ」

「『役に立ちそう』と『有意義』は同じ意味だろ」

「矢部君、本気で言ってるの？」彼はまた言った。「全然、違うって。役に立つ、のと、役に立ちそう、というのは別物だよ。偉い人と、偉そうな人ってのが全然違うのと同じでさ。役に立つように見えればいいだけなんだ。だから、科学者はいつも、危険を煽る。将来、地球が滅ぶかもしれない、なんて言われれば、どんどん研究してくれ、って気持ちになるでしょ。予算の時期になると、どっからともなく小惑星衝突のニュースが飛び出してくるのはそのせいだ。いっつもそうだ。三百分の一、とか訳の分からない数字を持ち出して、怖がらせて、金を集めるんだ」

「そういうものか」

「軍隊とか諜報機関が、危険だ危険だ、って叫ぶのと一緒。危険を煽って、予算をもらう」

「でも、三年後、実際に衝突するんだろ」現在の俺は、現在の二ノ宮に詰め寄る。「俺はな、五年前に騒動が起きた時も、千鶴が慌ててるのに、『大丈夫だって、二ノ宮が小惑星が落ちることなんてねえって言ってたぞ』ってなだめてたんだぜ。自分の社員にも、

『小惑星はぶつからない』とか断言して。まったく、馬鹿丸出しだよ。結局、衝突するんじゃねえか」

「そういえば、千鶴さんは元気なの？」

「なあ、教えてくれよ。二ノ宮天文博士、おまえは、今でもまさか、衝突しないと思ってるのか？」

「半信半疑だよ」二ノ宮は首を捻った。「小惑星が近づいてきてるのは確かだと思うけど」

「昔、おまえは、小惑星はたいがい軌道が確定してるって言ってたじゃねえか。ぶつかるような小惑星はない、ってな」喋れば喋るほど、二ノ宮に騙《だま》されていたような気分になって、俺は少し声を上擦《うわず》らせた。

「軌道が変わったのか、もしくは、軌道を計算する計算自体に誤りがあったのかもしれない」

「おいおい、本当かよ」

「いや、僕だって信じられないけど、でも、コンピューターの軌道計算を過信しすぎていた可能性はあるよ。データと計算で全部まかなえるから、だんだん、観測が軽視されるようになった。何回か観測したら、後は、計算で、軌道を求めるだけだ。だから、実際の軌道の変化に気づくのが遅れたのかもしれない。そういうことなら考えられるけど。

ただ、僕から言わせれば、八年も前に、衝突が断言できるわけがないんだよ。小惑星の動きは、ちょっとしたことで変わるし、数年先は断言できない」

「でも、五年前に、発表されたのは事実だ」

「僕はね、こんな風に思うんだ」二ノ宮は眼鏡の縁を触る。「小惑星衝突なんてさ、最初は、先走った報道か大袈裟《おおげさ》な発表に過ぎなかったんだよ、きっと。故意か過失か分からないけど、誰かがみんなを煽ることになって、で、煽られた世界中がどういうわけかみんな、真に受けて」

「真に受けたからどうだって言うんだよ」

「みんなが真に受けたから、落ちることになったんじゃないの」

「馬鹿言うな」俺は笑い飛ばす。「人の気持ちで小惑星の軌道が変わるかよ。二ノ宮君、本気で言ってるの、って感じだ」

「そうとしか思えないよ、僕は」

　二ノ宮はそれ以上、意見を口にしなかった。かわりに、自分の家の庭を眺めていた。釣られて俺も視線を外にやったが、何があるわけでもない。そして、もしかすると、と思いついた。庭で何かあったのか、と。

　二ノ宮は相変わらずの不貞腐れた顔で言う。「あそこに二つ望遠鏡があるでしょ」

「ある」庭の柵《さく》近くに、大型の天体望遠鏡が二つ設置されていた。あれを覗《のぞ》いて二ノ宮は、今回の小惑星を発見したのだろう。

「大きいほうは口径二十六センチ、小さいほうは口径十五センチ反射望遠鏡」口癖なのか、慣れた口調で彼は言った。「四年前かなあ。あの望遠鏡を覗いていた僕の両親がさ、突然、バットで殴り殺されたんだ」

「どうして」

理由なんてあるわけがないよ、と二ノ宮は醒《さ》めた目をした。その通りだ、と俺も答えそうになる。「小惑星で地球が滅びるって時に、暢気《のんき》に星を眺めていたのが気に入らなかったのかもしれない」と彼は呟《つぶや》く。「とにかく、あっという間に、両親の人生は終わっちゃった」

「犯人の男は死んだのか？」まず真っ先に脳裏に浮かんだのは、そのことだった。やり返せ、殺されたんだから殺し返すべきだ、と口走りそうになる自分に気づき、危うく口を噤《つぐ》む。

「さあ。こっちが呆気に取られているうちに、走り去った。僕は、親を庭に埋めた」

玄関のチャイムが鳴った。俺たちは顔を見合わせる。「終末の来客？」と二ノ宮は首を傾《かし》げて、ちょっと待ってて、と玄関へ向かった。ただ、途中で思い出したように立ち止まると、「小惑星が落ちようと落ちまいとさ、世界は終わるよ」と肩をすくめた。「みんなが真に受けたからとしか思えない」

5

掘りごたつに一人残され、星の写真を眺めていると、それが記憶を解放する鍵となったのか、俺はいつの間にか、暗く寒い、だだ広い駐車場に座っていた。つまり、また、昔の記憶を遡《さかのぼ》っていたのだ。場所は山形の、蔵王山《ざおうさん》の麓《ふもと》にある、酒屋の駐車場だった。レジャーシートを敷き、隣には千鶴がいた。望遠鏡をいじっているのが二ノ宮で、その隣でつまらなさそうにしている女が一人いる。顔も名前も思い出せないが、確か、俺の所属していたテニスサークルの後輩だった。

あれはそうだ、何万年かに一度、地球に大接近するという彗星《すいせい》があって、それを観測しに行った時だ。誰が音頭を取ったんだろう。

二ノ宮から話を聞いた千鶴が、「よし見に行こうよ」と張り切ったような気もするし、珍しく二ノ宮が、「一緒に見ない？」と俺を誘ってきたような記憶もある。いや、そうではなくて、時間を持て余した俺が、キャンパス内を一人で歩いている二ノ宮を見かけて、例の傲慢《ごうまん》な人助けのつもりで声をかけた可能性もある。おい、俺にも星を見せてくれよ、と。興味もないくせに、だ。

「でも、結構、いるんだね、観測する人って」千鶴がきょろきょろとした。彼女の言う通り、俺たちがやってきた夕方の五時には、すでに望遠鏡を準備し、テントを張ったグループがいくつかいて、夜が更けるにつれて数が増えていった。

「当たり前だって。二万年に一度、やってくる彗星にね、興味を抱かないほうが変なんだよ」二ノ宮が覗いていたレンズから顔を上げる。

「俺には、平日の夜にわざわざこんな寒い場所にやってくる奴らのほうがよっぽど変に見える」

「同じくわたしも」名前の思い出せない後輩が不機嫌そうな顔で言った。やっぱり帰りましょうよ、と言いたげなのが分かった。軽い気持ちでついてきたのはよかったが、俺の友達だと紹介した二ノ宮はちっとも恰好《かっこう》良くない無愛想な男で、しかも、秋とはいえ、夜の冷え込みは厳しかったし、退屈でもあったから、すでに苦痛しか感じていなかったのだろう。

「そうだ、そういえば、エロスって知ってるか？　二ノ宮」俺が脈絡もなく、はしゃいだ声を発したのは、その後輩の気持ちをどうにか盛り上げようと思ったからかもしれない。

「エロスって何それー」と後輩の女は笑った。また馬鹿なことを言い出して、と千鶴が眉《まゆ》をひそめた。

「知ってるよ」当然だろ、という表情で二ノ宮が顎《あご》を引いた。「直径二十二キロの、小惑星。一九九〇年代にさ、百十四万年後に地球に衝突するかも、って言われたんだ」

「えー、怖いじゃん」女は不満げに言った。

「でも、実際はぶつからないんだろ」

そうか、あの時も、小惑星衝突の話題だった。

「おそらくぶつからない。だいたいね、宇宙は広いんだって」二ノ宮は、俺たちの無知に怒るようだった。

「そういえば、ねえ、二ノ宮君、小惑星の名前ってどうやってつけるの？」そこで千鶴が訊ねた。

二ノ宮は若干、誇らしげに、「発見者に命名権があるんだ」と答えた。「最初はね、ギリシア神話の神様の名前をつけていたらしいんだけど、そのうち、神様も足りなくなるでしょ。だから、それ以降は、発見者が自由につけることになってね」

「じゃあ、ヘール・ボップ彗星とかもかよ」

「彗星と小惑星は別物だって。彗星は、単純に、発見者の名前が自動的につくんだよ。ヘール氏とボップ氏ってわけ」

「でもさ、エロスなんて名前をつけるセンスが分からないな」俺が言うと、後輩も、ですよねえ、と同意してくれたが、千鶴は冷静で、「エロスって神様の名前でしょ」と呆れ顔で首を振った。

「そんなことよりも、星、見てみないの？」と二ノ宮が望遠鏡を指差し、見る見る、と真っ先に千鶴が手を挙げた。エロスに人間は滅ぼされるんだ！　俺はふざけて、大声で言ったが、後輩にしか受けなかった。

「何だか妙な勧誘だった」玄関から戻ってきた二ノ宮は、掘りごたつに腰を下ろすと不思議そうに口を尖《とが》らせた。

俺は思い出話から、現在へと意識を戻す。「妙な勧誘？」

「方舟《はこぶね》に乗りませんか、だってさ」

「方舟かあ」それを聞いただけでおおよその内容が想像できた。「シェルターか何かに逃げる人員を選抜しています、とかか」マンションの近くで、声をかけられたことが一度、あった。「結構、話題だよなあ。口コミで広がってんのか。うちの近くじゃあ、それで揉めて、事件まで起きてるぜ」

「事件？」

「その方舟に乗せてもらうとか乗せてもらえないとか、そういうので揉めて、若い奴が刺されてたな」

「方舟は人を救わないわけだね」二ノ宮は下唇を出して、「興味がないって言ったら、むっとして帰っていったけど。結局さ、みんな、逃避したいんだろうね。利益がどうのこうのじゃなくて、方舟があるって信じて、その人員を選抜することに躍起になって、小惑星のことを忘れようとしているんだ。だって、どこかに避難したところで、その後どうするか、なんて誰も考えてないに決まってるんだ。一時しのぎしか考えてない。ノアの方舟の時は洪水だったけど、今度は規模が違う。恐竜が滅びるくらいのレベルだよ、何年、地下に閉じこもっているつもりなんだろうね」

「そういえば」俺はまた、昔の記憶を掘り出した。「昔、火星かどこかに人間の住める環境を作るっていう計画がなかったか？」

「ああ、あったね」

「あれって今、どうなんだろうな」

「さあ」二ノ宮は関心がなさそうだった。「そういうさ、いかにも、面白そうな、役に立ちそうな研究は注目されるんだよ」

「また、そういう話か。でも、悪い研究じゃないだろ」俺は素直に感想を口にする。「地球の環境が大変なことになったら、火星に行けばいいんだから。もしかしたら、今も、小惑星から逃れるために、火星に移住している奴らがいるかもしれねえぜ」

あのさ、と二ノ宮はげんなりした表情を見せた。「あのさ、地球の環境もコントロールできない人間が、どうして火星の環境を維持できるわけ？」そして、辛いものでも食べたかのように、舌をべえっと出した。「そんなことまでして生きながらえてどうすんのさ」

なるほど、と俺もうなずく。なるほど、言えてる。湯呑みのお茶を飲み干した。「おまえはさ、今日どうして俺を呼んだんだよ」

「説明したじゃないか」二ノ宮がむっとした。写真を指差す。「小惑星を発見したから、矢部君に自慢しようと思ったんだって」

「本当にそれだけなのか？」

「それだけって、どういうこと。あのさ、小惑星を見つけるっていうのは大変なんだって。知らないの？」

「分かった、おめでとう。で、これが新発見の小惑星だってのはどうやって証明できるんだ」

「厳密に言えば一回の観測じゃあ、駄目なんだよね」二ノ宮が頭を掻《か》く。悔しさが滲《にじ》んだ。「スミソニアンに問い合わせるルートも、今はめちゃくちゃだから、正式に認められるのはかなり難しいかも」

じゃあ意味ないな、と俺は言おうとしたが、それよりも先に彼は、「だけど」と口を開いた。「これは新発見だよ。証明はできないけど、僕は確信してる。新しい小惑星だ」

「あ、そう」思うのは自由だ。

「わざわざ、その発見を矢部君に教えてあげたんだから、もっと感謝してもいいと思うよ」

「わざわざ、その発見を聞きにきてやった俺にも、もっと感謝してくれ」

そんなことを言われる筋合いじゃない、と二ノ宮は不服そうだったが、しばらくして、思いついたように、「せっかくだからさ、大学に行ってみる？」と言った。

6

車を走らせ、大学を目指した。二ノ宮の住む町から、仙台市街地へと国道を走っていくと大きなトンネルにぶつかり、そこを越えて、くねりくねりと道を曲がっていくと、青葉山に出る。片道三十分、という行程だった。その山の敷地内に、俺たちの通ったキャンパスはある。

「数年前はさ、あのトンネル内が凄まじいことになってたみたいよ」今、通り過ぎたばかりのトンネルを親指で示しながら、二ノ宮が言った。

「凄まじい？」

「渋滞で、前進も後退もできなくなった人たちでいっぱいになって、しかも、歩く隙間もなくなって」

「言い争いだとか、殴り合い、奪い合いか」

「分かる？」

「どこもそうだったんだろ。でも、あれだな、最近は急に落ち着いてきたよな。そんな気がしないか？　今のトンネルも、車はいなかったし、襲われもしなかった」乗り捨てられた車が端に、全部寄せられ、道も通行可能だった。

「そういえば、殺人とか強奪とかも、最近はあまり聞かないね」二ノ宮が何気なく口にした台詞が、俺には突き刺さるように感じられたが、平静を装う。「でもさ、一時的だよ、きっと。みんな、パニックを起こすのに疲れただけで、そのうちまた大騒ぎだと思う。今は、貴重な、小康《しょうこう》状態なんだ」

俺はハンドルをゆっくりと動かす。「その貴重な時に、昔を懐かしんで、大学に行くってのは、賢いのか？」

「他に、有意義なことがあるなら言ってみてよ、矢部君」

さっさとマンションに戻って、ロープを結び、自殺をやり直すべきではないか。危うく、そう言いかける。

大学のキャンパスは記憶よりも一回りほど、小さく感じられた。青葉山の中腹、鬱蒼《うっそう》とした木々に隠れるように、くすんだ灰色の建物が並んでいる。「理学部」と刻まれた門は、誰が何の道具で壊したのか、粉々に砕けていた。「懐かしいねえ」

俺たちはふらふらと構内を歩き回った後で、講義室に入った。学食からの通路と繋がる入り口のドアは傾き、しかも鍵が壊れていたため、無理やりにドアをこじ開けた。埃《ほこり》と黴《かび》の混じった臭《にお》いが鼻を衝《つ》く。

「僕はたいがい、この辺に座っていたんだ」と二ノ宮は、壇上から一番近い、最前列に座った。そうだったな、と俺が答えると二ノ宮は、「矢部君はほとんど、授業に出てなかったし」と言った。「だな」俺は講義室を一周、眺めて回った。思ったよりは破壊されていない。机が燃え損なった形跡や、椅子が剝《は》ぎ取られた場所、もしくは誰かが生活をしていたと思《おぼ》しき汚れはあったが、まだ原形をとどめている。一番後ろの席に、試しに座ってみる。

すると驚いたことに、周囲の風景がぐらっと揺れ、眩暈《めまい》に襲われた。講義室の壁の色が急激に変化し、机に書かれた落書きや椅子の傷が増えたり減ったりを繰り返し、昼と夜が何十回と巻き戻されるような感覚に襲われる。また、昔を思い出しているのだ。隣の席に千鶴が腰を下ろした。化粧をしていない、学生時代の千鶴は、襟《えり》もとの開いたワンピースを着て、当時気に入っていた革のバッグを、どんと脇に置いた。「矢部君、珍しいね」と俺に話しかけてくる。「この授業に出てくるなんて」

「暇だったからなあ」

「あのね、授業料払って暇つぶしするなんて、贅沢すぎるよ」

その時はまだ、俺たちはただの友人同士に過ぎず、恋人ではなかったのだ。俺はしばらく、講義風景を頭の中で再現する。体感する。久しぶりに出席した俺は当然、講義内容についていけるわけがなく、どうせ試験前になったら、千鶴からノートを借りるのだから、と筆記用具も出さずに、教授の話をただ、聞いていた。

授業も半ばを過ぎた頃、俺は気になって、隣の千鶴を小突いた。「なあ、今言ったところ、ノート取らなくてもいいのか？」大事な内容に感じられたのだ。

「あのね」と千鶴は苦々しい顔を見せた。「わたしに言ってどうするの。自分でノート取りなよ」

「いや、俺のノートは、千鶴のノートでもあるわけだからさ。だから、大事なところは、押さえてほしいんだよな」

「人に押さえさせないでよ」

千鶴といつから交際をはじめたのだ。大学二年の夏だったな、何がきっかけだったか、と記憶を辿《たど》っていく。ああ、と俺は立ち上がった。あれは、二ノ宮が発端だった。

「なあ」最前列に座って片肘を突きながらぼんやりとしている二ノ宮の横に座る。「昔さ、おまえが、俺に言ったことがあったよな」

「何を」

「ええと、あれはやっぱり学食だったな。向かい合って、座ってた時だ」

「秋刀魚《さんま》食べてた時？」

「そういえば、おまえはいつも秋刀魚食ってたな」

矢部君さ、あれでしょ、ずばり当てちゃうけど、千鶴さんのこと好きでしょ。

あの時の二ノ宮は、それまで俺の下らない話、たとえば深夜テレビの内容であるとか、近くの定食屋で聞いた方言の不思議であるとか、理学部教授の噂、そういう話をつまらなさそうに聞いていたくせに、「そんなことよりもさ」と唐突に言ってきた。

「だってさあ、あの頃の矢部君、いつも千鶴さんのこと気にしてたじゃないか」

「だからってわざわざ、指摘する必要があったのかよ。それに、ずばり当てちゃう、っていう言い方が俺には理解できないね」と言いながら、目の前の黒板を眺めた。チョークで汚されている。いくつもの文字が並んでいた。「小惑星歓迎！」と書いてあるところもあれば、「俺は戻ってくる」と力強い文章もあった。そのあたりはまだ、余裕のある時期の落書きなのだろうか。「話せば分かる」と斜めに書かれ、意味不明の計算式が書き連ねてもある。「理学部は、星を止められるか」という文字もあった。そして中でも、小さな字にもかかわらず、一番切実に胸に響いたのは、左上に書かれた、「死にたくない」の文字だった。しばらくその字をじっと見てしまう。

「実はさあ」二ノ宮と俺は二人並び、いもしない教授を見ている。「あの時、千鶴さんも、矢部君に想いを寄せてるように見えたんだよね」

想いを寄せる、という表現が可笑《おか》しかった。「どういうことだよ」

「二人とも好意を持ってるのにさ、なかなか距離が縮まらないなんて、見ていて、結構、苛立《いらだ》たしいんだよ」

「何様なんだよ、おまえは。で、俺の背中を押したってのか」

「軌道を変えたんだ」二ノ宮は冗談を言うようにではなく、ぼそぼそと喋る。「そのまま観測してるのは、苦痛だし」

そうか、とここに至って、二ノ宮の秘密を知ったような気分になった。「おまえは、俺たちを観測してたのか」

「矢部君たちの本心なんて、星を見るよりも明らかだよ」

「星じゃなくて、火だろ。火を見るよりも明らか、だろ」

「あ、そう。でもさ、千鶴さんと結婚して、どうだった？」二ノ宮はさらに質問をしてきた。

どうだろうな、千鶴は失敗したと思っていたんじゃないか、と俺は正直に答えた。

「喧嘩とかしたわけ？」

「そりゃしょっちゅうだよ。家に帰ったら、机に置手紙があったこともあるよ。『うんざりだから、おさらばです』ってさあ。いっつも我慢してたんだろうな」

「だろうねえ」

「でも、いきなり、おさらば、はねえよな」

「よっぽど怒ったんだろうね」

7

食堂にも立ち寄ったが、こちらはかなり荒れていた。十年前に改装されたはずなのに二十年前よりも酷い。入り口のドアは取り外され、テーブルはあちこちでひっくり返っていて、しかも厨房《ちゅうぼう》近くには人が倒れてもいた。食料の奪い合いでもあったのか、数人の死体だった。どれも、だいぶ前に亡くなったらしく、すでに乾燥していて、臭いもない。

「最近の学食には死体がある。時代は変わった」二ノ宮は冗談で言ったのだろうが、口調も表情も真面目そのものだったので、俺も、「変わったな」とまともに返事をする。

「でも、変わったと言えば、人の死んでるのを見ても動じなくなった俺たちのほうがよっぽど変わった」

最初の頃は死体を見るたびに嘔吐《おうと》していたが、今やすっかり慣れた。頭のどこかが麻《ま》痺《ひ》している。

「この五年間、酷かったから」

「これからもっと酷くなるんじゃねえの」と他人事《ひとごと》のように言った。そこまで自分が生きているとも思えない。

大学構内を一通り、見て回ってから、俺たちは車に乗り、二ノ宮の家へと引き返すことにした。その車中、二ノ宮が、「もしかすると恐竜もさ、人間みたいだったのかもしれないね」と馬鹿げた話をはじめた。

「人間みたいって何だよ」

窓の外を通り過ぎていく山の景色は、昔と変わっていない。悠然と構えているようにも見えれば、すべてを諦《あきら》めているようにも見えた。紅葉が終わる前に見に来たかったな、とそんな風に感じた。二度と紅葉を見られないのか、と思うと寂しさがあるのも確かだ。

「恐竜もさ、人間みたいに言葉を喋ったり、道具を使ったり、建物を作ったりしてさ。文化とかもあったんじゃないの」

「恐竜ってトカゲだろ？　喋るわけねえだろうが」

「でもさ、化石しかないから、分からないよ。実際は毛が生えてたかもしれないし、筋肉がすごかったかもしれないし。言葉といっても、口から発するものとは限らなかったし、ジェスチャーで意思疎通を図っていたかもよ」

「知能の低いトカゲだよ、絶対」

「じゃあさ、もしこのまま、人間が絶滅してさ」

「するだろうな」

「数万年も経って、別の生き物が発達したとするでしょ」

「あ、それ、なめくじだろ」

「そういう漫画、あったね」二ノ宮は強くうなずいた。「でさ、そのなめくじたちが、僕たちの化石を見つけたら、知能のない小型の哺乳類が裸で歩いてた、としか思わないんじゃないの。人の文化なんて、何万年も経てば全部、消えてるだろうし」

「だとしたら、何なんだよ」

「それに、そのなめくじたちが、自分たちのことを、『人間』って呼びはじめるかもね。で、僕たちを、恐竜と名づける」

「俺たちは竜じゃないだろ」

「昔の恐竜も同じことを言ってるかもよ。つまりさ、僕たちは別に特別なわけじゃない。小惑星衝突も、特別なことじゃないってこと。毎回、起きてるんだよ。繰り返されてる」

「慰めにならねえなあ、おまえの言うことは。だいたい、おまえは学生の時に、小惑星は絶対にぶつからないって言い切ってたくせによ」俺はトンネルに向かって車線を移動する。

「千鶴さんは元気？」

薄暗いトンネル内に入り、ヘッドライトの明かりを頼りにアクセルを踏んでいると、二ノ宮が訊ねてきた。さすがに三度目となると無視するのも気がひけて、「死んだよ」と正直に答えた。二ノ宮は驚かず、「ああ、そう」と小さく言った。

「五年前だ。あの騒動がはじまって少ししてからだよ。マンションを出て、食料を買い溜めるために、近くのパチンコ屋に出かけたんだ。そこで殺された」

殺された、という言葉にも二ノ宮は動じなかった。「パチンコ？」

「駐車場内に自動販売機があった」そう答えるとすぐに、俺は五年前の、その時の駐車場に自分が舞い戻った気分になる。膜がかかったように、ぼんやりとした光景ではあったが、記憶が甦《よみがえ》る。

俺は、自動販売機前に作られた、五十人近い行列の真ん中あたりに並んでいた。誰もが財布を片手に、殺気立っている。一人十本までだろ、と後方の誰かが怒鳴っていたが買う者は抱え切れなくなるまで、缶ジュースを買っている。その時はまだ誰も、ごみの処理について考えている余裕もなかったし、アルミ缶だろうがペットボトルだろうが、喜んで持ち帰っていた。千鶴は、車の中に居残っていた。助手席で眠っていたのだ。

「車内で眠っていたのに、どうして死んでしまったのさ」二ノ宮が訊《き》いてくる。

「車内から出てきたからだ」

　俺は一時間もかけて、自動販売機の前まで辿り着き、小銭を入れては次々とジュースを手にした。袋やポケットに詰め込んだ。後ろからは、「そのへんで、やめろよ。売り切れたらどうするんだよ」と誰かが怒鳴る声がしたが、気にしなかった。他の奴らもルールなんて守ってなかったからだ。

　ただ、二十本を超えたあたりでさすがに持つことができなくなり、車に目をやった。

「いい加減、やめろよ。もう買うんじゃねえよ」と罵《ののし》られるのを背中で聞きながらも、切り上げるつもりはなかった。車で来るのに三時間、行列に並んで一時間だ。無理してでも、買えるだけ買っていくつもりだった。数少ないチャンスは死に物狂いで、利用するしかない、とそう思った。

　少し離れた場所に車はあって、俺は、千鶴を呼ぶために缶を持ったまま手を振った。たまたま起きたばかりだったのか千鶴は、すぐにドアを開けて外に出てきた。まだ寝惚けていたのかもしれない。「どうしたの？」と俺の近くにやってきた時も、目を擦《こす》りつつだった。

「これ持っていてくれ。もう少し買う」と俺は言い、彼女に自分の持っている缶を手渡した。ポケットから取り出した缶もまた、彼女の両手の上に置く。そして、自動販売機に向き直り、小銭を入れようと思ったのだが、その時に、隣の千鶴の身体《からだ》が揺れた。危ねえぞ、と口に出しかけたところで、彼女の背後に男が立っていることに気がついた。

無音になった。千鶴が地面に倒れる音も、彼女の身体から飛んだ缶が転がる音も、聞こえなかった。男はひょろ長い体型をした、眼鏡の男だった。両手に、鼠《ねずみ》色のブロックを持っている。それを千鶴の頭に振り下ろしたのだ、と遅れて気がつく。

状況は把握できなかったが、俺はすぐに、千鶴の横に座り込んだ。彼女の意識はすでになく、後頭部から溢れた血が広がっていた。俺が列から離れたものだから、次に並んでいた誰かが自動販売機に小銭を入れはじめる。

「犯人は?」二ノ宮は、ふうん、と相槌《あいづち》を打った後で、訊ねた。

「走って逃げた。俺も動転していたからすぐに追えなかった。慌てて、ジュースの缶を投げてやったんだけどよ、当たるわけがねえし」

「で、最近なの?」二ノ宮がごく普通に、平然と訊いてきた。

「何がだ」

「その犯人を殺したのはさ」

はじめは俺も意味が分からなかった。けれどすぐに、「何で」と言ってしまった。何で分かったんだよ。

「さっきも言ったけど、矢部君の顔、すごく疲れてるし。僕の両親が死んだ話をした時、犯人の男は死んだのか、って怖い顔で言ってきたし。復讐に取り憑《つ》かれた男って感じでさ。矢部君はきっと、復讐をやり遂げたんじゃないか、ってそんな気がして。それにさ」

「それに？」

「矢部君ってそういうの許さないじゃない、昔から」

「許さない？」

「昔さ、僕を誘って、蔵王に彗星を見に行ったじゃないか。あの時、矢部君の後輩の女の子が、僕のことを罵倒したんだよね。馬鹿にしたっていうかさ。そのこと矢部君、ずっと気にしてた」

「そうだったか？」そのあたりの記憶がすっぽりと抜け落ちていた。

「それで、僕を不快にさせた自分を許せない、とか言って、お詫《わ》びのつもりなのか、僕を合コンに連れ出して」

「思い出せないけれど、それは俺が合コンに参加したかっただけかもしれないな」

「いい迷惑だった」二ノ宮はむっとしつつも、真剣な目でさらに続けた。「だから今回は矢部君は自分のせいで千鶴さんが亡くなったって、そう思ってるんでしょ。きっとそうだ。矢部君は自分を許さないと思う。せめて、復讐くらいはやり遂げる」

「知った口を利くよなあ」と言いながらも、実際、その通りだから、驚いてもいた。二ノ宮に言われるまで気づかなかったが、確かに俺は、自分が許せなかったのだろう。自動販売機からどうして早く立ち去らなかったのか、どうして、千鶴を車から呼んだのか。悔やんで自分を責め、だからすぐに千鶴の後を追って死ななかったに違いない。長く息を吐き出す。すると自分の身体の内側にあった不安や恐れが震えを伴って、外に噴出していくのが分かった。息を吸うと、その空気がひゅるっと揺れた。「ついこの間だよ、あのパチンコ屋の前を歩いていたら、あの男がいたんだよ。背が高くて、痩《や》せた、あいつだ。忘れるわけがねえよ。しぶとく、まだ、生きてやがったんだ。信じられるか？」

それで俺はあの男の跡をつけた。男が階段を降りているところに駆け寄って、落ちていた石で殴りつけた。「千鶴は、あれで俺を許してくれると思うか？」

「もとから許してると思うし、むしろ復讐なんてしたら、千鶴さんは許さないんじゃないの」

「二ノ宮、おまえは鋭いよ」と答え、それから、俺は自分で納得するために復讐をした、それで良かったのだ、と思った。

「物騒な世の中だね」二ノ宮は軽口を叩くように言った。「で、矢部君は、死ぬつもりなわけ？」

驚いて、左へ目をやる。彼は、自分の首に右手を当てて、横に動かした。首にロープの痕《あと》が残ってるじゃないか、と言っているのだろう。

苦笑するほかない。「二ノ宮、おまえ、鋭すぎる」

「あのね、矢部君の考えてることは、星を見るよりも明らかなんだ」

「星じゃなくて、火だ」

8

二ノ宮の家の前に車を停めた後、俺たちは家には入らずに、庭の望遠鏡を覗くことにした。すでに日は沈み、あたりは暗くなっていたが、あいにく空は曇りだった。二ノ宮はしばらくレンズに目を当て、顔を上げると、「やっぱり見えそうもないね」と眉を曇らせた。

俺は真上を見るようにし、じっと空を眺める。「本当に、こっちに向かってくる星があるのかよ？　そうは思えないよな」

三年後、この地球に巨大な星がぶつかるとは、想像ができなかった。

「さあ、僕は半信半疑だけどね。軌道が変わる可能性もあるし」

「おまえは落ち着いてるよなあ」立ったまま、彼と向き合う。俺よりも背が低く、まったく冴《さ》えない外見をしているのに、ここにきて二ノ宮が俄然《がぜん》、頼りがいのある男に見えてきた。知らず知らず頰がほころんでしまう。

「どうして、笑ってるわけ」

「いや、学生の時にはまさかこんなことになるとは思いもしなかったからな」

「こんなことって何なわけ」

いや、と俺は口を濁して、かわりに、「一つ訊きたいんだけどさ」と腕を組む。純粋に訊ねたかったのだ。「おまえみたいな、天体ファンにとってさ」

「天体オタクって言えばいいのに」

「あれは蔑称だ」と俺は笑う。すると二ノ宮は眼鏡を指で押し上げてから、「何かに夢中になる人をオタクって言うなら、それは敬称だ」と真顔で言った。

「いや、俺は、誉《ほ》め言葉だと思っては、使っていない」と正直に認めた。「とにかくさ、おまえはどう思ってるんだよ。三年後、小惑星が落ちてくる。みんな、絶滅だ。自分の好きな星に、自分が殺されるってのはどんな気分なんだ？」

「どんな気分って言われてもね」

「衝突する時、おまえはどうしてる？」

二ノ宮はそこで頬をゆるませ、いつもの強張《こわば》った目つきをやわらげ、俺に向かって笑った。「もちろん、望遠鏡を覗いてるよ」

「もちろんなのかよ」

「だってさ、今までは、地球から何十万キロとか何百万キロ離れた彗星を見て、喜んでいたんだよ、僕たちは。それが、もっと間近で見られるんだ。しかも、横に流れていくどころか、こっちに近づいてくるんだからさ」喋るほどに興奮してくる彼に、俺は圧倒される。「すごいと思わない？　いやあ、もしね、本当に落ちてくるならすごいよ。今から眠れないね」

「嘘だろ」

「嘘のわけがない」熱のこもった口調に俺は呆れ、しばらくしてから噴き出した。「すげえな。おまえ、心底、星が好きなんだな」

「悪い？」

「羨《うらや》ましい」本音だった。残りの寿命が限られ、誰もが絶望に打ち沈んでいるというのに、目の前に立つ二ノ宮は意気揚々としている。

「ただきさ」二ノ宮がそこで急に心配事を口にする。

「ただ？」

「夜じゃないと困るんだよ。観測できないから。落ちてくる時は夜じゃないと」

「何だよそれ」俺は肩を落とすがすぐに、二ノ宮にとっては大事なことなのかもしれないな、と思い直す。「そうか、夜じゃないと困るか。それならさらに、晴れじゃないと駄目だな」

「その通り、夜で、晴れじゃないと困るんだよ。本当に困る」二ノ宮は真剣で、祈るような声で言う。そして、「夜だよ、夜、ヨール、ヨール」と夜コールを繰り返した。まるで、子供だ。

俺は肩をすくめ、今はいない千鶴に向かって、「確かに、二ノ宮は友人を求めていない」と笑いかけたい気分になる。「友人を必要としない、ただの変人だ」

「あのさ」二ノ宮が、俺に言った。

「何だ」

「小惑星が落ちてくることになって、僕はこんなにも楽しめる。不謹慎だし、申し訳ない気がするけど、僕は自分が天体好きで幸運だったと思うんだ」

「ああ、俺も、おまえは幸運だと思う」

「勝ち組ってわけだね」二ノ宮が笑うので俺は、「勝ち組とかいう言い方って、品がなくて、嫌な感じだ」と答えた。

9

「ヒルズタウン」に車で戻ってくると、安心するような、思い沈むような、複雑な気持ちになった。千鶴との思い出と同様、この町についての記憶も、愉快さと不快さ、黄金に輝くものと黒々とした悲惨なものが様々に入り混じっている。

駐車場に車を停めた。降りるとマンションのエントランスへと向かう。すっかり暗くなっている空を見上げてみた。自然に、口がぽかんと開く。風が強いのか、二ノ宮の庭で見た時よりも雲が減っていた。雲が消えた後の空間には、星が浮き上がるように光っている。しばらくじっとその体勢で、空を眺めた。二ノ宮の発見した小惑星はどれなのだろうか、と探したくもなった。

「帰ったら、死ぬつもりなの？」帰り際、二ノ宮は車に乗った俺に窓を開けさせると、そう言った。

「たぶんな」俺は曖昧《あいまい》に返事をしたが、決心はついていた。「気が変わる前に。チャンスは逃しちゃいけねえからな」

「そう」と二ノ宮は口を尖らす。「引き止めないでいいのか」と俺が笑うと、「僕の言うことを、矢部君が聞くとは思わない」と言ってきた。

「その通りだ」

「それに、こんな時、命があるだけでも幸運なのに、わざわざ自分から死のうとする人なんてさ、勝手にしろ、って感じだよ」二ノ宮の表情はいつも通り無愛想で、俺はそれがどういうわけか嬉しかった。「さすが、勝ち組の人は言うことが違うなー」と手を振って、そして、二ノ宮宅を後にした。

こんばんは、と声をかけられて俺は前を向く。夜空を見上げ、口を大きく開いた、間の抜けた顔を見られてしまったな、と恥ずかしく思いながらも挨拶を返した。

若い女の子だった。マンションから出てきたところのようだ。可愛らしいムートンのコートを着ている。名前は思い出せなかったが、同じフロアに住んでいる子ではないか、と気がつく。両親を失った、二十歳くらいの子だ。久しぶりに見かけた。まだ生きていたのだな、とぼんやりと思う。

「こんな夜に出かけるのかい」いつもであれば話しかけることなどなかっただろうが、俺は声をかけていた。

「デートなんですよ」彼女ははにかみながらも、自慢げにうなずく。

「それは」俺は、こんな状況下でも若者たちは恋愛に忙しいのか、と感心する。「すごい」

「出会っちゃったんです」と言い残し、彼女は小走りで去っていく。その背中を眺めながら俺は、千鶴と一緒に歩いていた今までの時間を思い返す。

部屋に戻り、さっそくロープを結び直そうとしたのだが、その前に、落ちている老眼鏡に気がついた。正確には、老眼鏡の使い道について閃《ひらめ》いたのだ。ずっと昔、学生時代の二ノ宮に教わった、原始的な望遠鏡の作り方を思い出した。

部屋の箪笥《たんす》や小物入れを片端から開き、そして二十分ほどかけて、虫眼鏡を見つけた。厚手のボール紙も探し出す。

工作とは懐かしい。苦笑しながら、手を動かす。以前の社員がこの光景を見たら、驚くだろうな。口うるさい社長が、小学生さながらに工作をしているぞ、何があったんだ、と。筒状にしたボール紙の向こう側に老眼鏡のレンズを、手前には虫眼鏡のレンズを嵌《は》め、ガムテープで貼りつける。ずいぶん汚い作りになったが、どうにか固定する。「長さとかさ、いろいろ調整しないとうまくいかないけど、でも、きちんと焦点が合えば、月のクレーターくらいは見えるよ」二ノ宮は昔、そう言っていた。「昔はみんな、こういう望遠鏡を使っていたんだ」

「こんなもので？」俺は作ったばかりの、不恰好な望遠鏡を見つめながら、誰もいない室内で独り言を零《こぼ》す。おもむろに窓際へと向かう。カーテンを開けると、薄い黒に包まれた夜空が窺《うかが》えた。風が強くなったのか、雲がずいぶん散っていた。星が見え、右方向に首を傾けると月もあった。

月を眺めたら、と思った。月を眺めたら、その後でロープを結び、それから首を吊って、こんな、千鶴のいない世界からはおさらばだ。

演劇のオール

1

十代の後半、わたしは、ふとつけたテレビ番組に出ていたインド出身の俳優の言葉に影響を受け、人生の針路を決めた。

色黒の肌で、顔に深い皺《しわ》を刻んだその俳優は、当時、話題のサスペンス映画の宣伝で来日中だった。映画の中で四人の人物を演じ、以前からもカメレオンアクターなどと呼ばれていたが、インタビュアーに、「次から次へと演じ分けるのは大変ではありませんか？」と下らない質問をぶつけられ、困惑の表情を浮かべた。そして、「一人の人間は一つの人生しか体験できないのに、役者はいくつもの人生を味わうことができる。それならできるだけ多くの人生を生きたいと思うのが普通ではないか」と言った。

今だったらきっと、「仕事だから仕方がない、って正直に答えればいいじゃないの」と冷ややかに批判できるだろうが、十年前、女子高生のわたしは、「恰好《かっこう》いいぞ」と感動した。

続けてその、インド出身のベテラン俳優は、「演劇とは、人生を漕ぐオールのようなものだ」とも言ったけれど、そちらは意味がさっぱり分からず、おそらくあれは、通訳の訳し間違いだった、とわたしは踏んでいる。

簡単に感化されることはたぶん、十代の特権に違いない。わたしは、「役者になるのだ」と決意し、役者になるためには劇団に入らなくてはならないし、そのためにはまず上京しなくてはならない、上京するためには大学に行くだけなのだからどんな大学でも構わない、と安直に進むべき道を決定した。予想に反して、両親は反対しなかった。

大学での勉強もそこそこに、わたしは東京の小さな劇団に所属し、役者になるべく、練習にいそしんだ。無名劇団から有名役者となることを目論んだ。八面六臂《はちめんろっぴ》の大活躍とは、とうていいかず、むしろ七転八倒《しちてんばっとう》の毎日、というか、自棄酒《やけざけ》が五臓六腑《ごぞうろっぷ》に沁《し》みわたる、というかそんな具合だった。

自分には才能がない、と認め、仙台の実家に戻ってきたのが七年前で、例の小惑星のニュースで大混乱が起きたのは六年前の夏だ。

マンションに出戻った時、両親は呆れもしなければ、怒りもせず、淡々としていた。「こんな娘を許してください」と挨拶をすると、父と母は愉快げに顔を見合わせて、「かわりに、おまえもいつか、誰かを許してあげなさい」と言った。

「わたしが上京した時も、全然うろたえなかったね」

「だって、役者を目指して死ぬわけでもあるまいし」と母は飄々《ひょうひょう》と答えた。

2

今日、わたしがまず訪れたのは、おばあちゃんの家だった。早乙女《さおとめ》さんの一軒家だ。縁側で、煎餅《せんべい》の載ったお盆を挟み、早乙女さんの隣に座る。

「あそこに猫の人形なんてあったっけ」とわたしは縁側の端を指差した。古臭い、猫の陶器が置かれている。寝そべって、身体を丸めた恰好で、日光に反射して光っていた。

「つい一昨日《おととい》かな、押入れを片付けていたら出てきたからね、置いてみたんだけど」早乙女さんは、皺だらけの顔の皺をさらに深くして、笑った。「昔はそこのところに、いろんな猫が来て、昼寝してたんだよねえ」としみじみした様子だ。「丸くなって。それを見るのが楽しかったんだけど、最近は来なくなったねえ」

南向きの縁側で、前には庭が広がっている。植木や芝生は手入れが行き届いていた。七十も半ばを過ぎた早乙女さんは小柄ながら、背筋は伸び、足腰も丈夫で、暇があれば庭をいじくる。

「おおかた、食べられたんだろうね」

「かもしれないね」わたしも答える。

六年前、小惑星が地球にぶつかりますよ、と分かって以降、食料の確保は重要な問題だった。最近になってようやく、米の供給が安定しはじめたとはいえ、それ以外の食べ物に関しては自力で手に入れるしかないのが実状だ。とっくの昔に賞味期限の切れた煎餅を口にできるだけでもラッキーなのだから、目の前を横切る猫や犬を食料と認める人間がいても、意外ではない。わたしは反射的に、酒屋の物置脇に繋《つな》がれている、雑種犬のことを思い浮かべ、あれが今まで生き残っているのは美味《おい》しくなさそうだからだな、と不謹慎なことを考えた。でも、おそらくそうだ。

「でね、猫が来ないのも寂しいからさ、人形でも置いておこうかな、って思ったんだよ」早乙女さんはのんびりと言って、目を細める。「代用品でもいいから」

代用品かあ、とわたしは伸びをしながら、内心で思う。自分のことを言われたのかと思った。

早乙女さんはこの二階建ての一軒家、五十坪の４ＬＤＫで、五十代の息子夫婦と、二十代の孫娘と一緒に暮らしていた。けれど、三年前にその家族を失った。息子夫婦と孫娘は、早乙女さんを置いて、青葉山の橋から飛び降りてしまったのだ。世を儚《はかな》んで死ぬ気持ちは分かるけれど、どうして早乙女さんを連れていかなかったのかは、分からない。「足手まといだったんじゃないの」と言って早乙女さんは、うふふ、と笑う。

わたしはこの家と同じ町内のマンションの３ＬＤＫに、両親と生活をしていて、やっぱり三年前に、両親を失った。わたしの両親の場合は事故なのか自発的なのか、妙な薬を飲み、口から泡を出し、居間で死んでいた。「役者を目指して死ぬわけでもあるまいし」と大らかに微笑《ほほえ》んだ母も、小惑星衝突くらいで死ぬわけでもないし、とは割り切れなかったのか。

そしてわたしは時折、早乙女さんの家にやってきて、孫娘を演じる。演じますよ、と宣言した覚えも、約束があるわけでもないけれど勝手にそうしている。代用品だな、と思いつつ、例のインド生まれの俳優のことを、また思い返す。

彼は七年前、映画界からひっそりと引退した。以降の仕事をすべてキャンセルし、契約のあるものに関しては多額の違約金を支払い、アメリカの田園地方に隠居した。

ミスターカメレオンは言った。その田舎町には、末期癌《がん》と診断された母親がいて、今生《こんじょう》の終わりまで一緒に暮らしてあげたいのだ、と。ただ、彼の実の母はすでに四半世紀も前に死んでいるはずで、つまりその女性は実の母親ではなかった。「彼女はどういうわけか、私のことを息子と思い込んでいるんだ。それなら、そう思ってもらおうと思う。息子を演じて、母親を騙《だま》すなんて、役者冥利《みょうり》に尽きる」と彼は、偽悪的とも、偽善的とも取れるコメントを最後に残した。

東アジアの小さな町で、わたしも彼と似たようなことをやっているのだ、と思うと役者に挫折した分際《ぶんざい》なのに、どこか誇らしい気持ちにもなる。

縁側から腰を上げて居間に戻る。早乙女のおばあちゃんは、最近また背中が痛くなってきた、と小声で嘆いた。わたしはマッサージを申し出て、背中を押してあげる。「この辺？」わたしは背丈こそ百七十センチほどあって、男性と比べても遜色《そんしょく》がないのだけれど、力のほうはまるでない。腰のあたりを押すが、どうもうまくいかなかった。そのうちに腕が疲れ、肘《ひじ》でぐいぐい腰を押してみるが、効いているようにも思えない。ほどなく、ありがとうだいぶ良くなった、と早乙女さんは立ち上がる。座布団に座り直す時に自分で肩を揉んでいるのが見えた。

3

早乙女さんの家を出たわたしは、マンションに戻り、今度は妹の待つ部屋へと向かった。もちろん、わたしには戸籍上、血縁上の妹は存在していないから、ようするに、わたしが「姉」を演じるべき相手、ということになる。二歳年下の彼女、亜美《あみ》ちゃんは、勝気で、ずけずけと馴《な》れ馴れしく、しかもどこか危なげで、自分に妹がいるとすればああではないか、と思える女の子だった。

チャイムを鳴らすと、目を擦《こす》りながら姿を現わす。「今、起きた。上がって」と低血圧でやられた力ない声を出し、部屋に引っ込んでいく。わたしも遠慮なく、続いた。

わたしの部屋のすぐ真下に位置するこの部屋は、間取りがほぼ同じなのだけれど、家具の配置や敷かれている絨毯《じゅうたん》の色が異なるために、雰囲気がずいぶんと違う。廊下を進んで、すぐに右手が彼女の寝室だった。パジャマを脱ぎ、下着姿になって服に着替えている。無防備というか、あっけらかんとしてるなあ、と、妹に呆れるように、亜美ちゃんに呆れる。

居間に足を踏み入れ、ソファに座る。広々とした四人掛けの無人のソファがどうにも物寂しい。亜美ちゃんは、母親とお姉さんとお兄さんと四人で生活をしていた。小惑星の騒動があってしばらくは、四人で部屋に閉じこもっていたらしい。ただ、数ヶ月して、関東地方に地下シェルターが開発された、という情報を入手すると、大型のバンに乗って、東京を目指すことにした。目指したはいいものの、車を走らせて三十分もしないうちに、強盗団に襲われ、火を点《つ》けられた。「わたしは逃げ足が速かったからね」と亜美ちゃんは笑って言うが、とにかく彼女はこのマンションに戻り、一人で暮らしているわけだ。もちろん、関東にできた地下シェルター云々というのは、デマだった。その後も、そんな嘘は死ぬほど飛び交った。死ぬほど、というのはレトリックではない。そういうたぐいの流言飛語《りゅうげんひご》のために、大勢が死んだ。

「ねえ、最近、矢部さんの姿、見ないけど、お姉ちゃん、会ったりした?」シャツに身体をくぐらせながら居間に戻ってきた亜美ちゃんは、そんなことを言ってきた。青色がすっかり色落ちしたジーンズと長袖《ながそで》のTシャツという出で立ちは、短い髪の彼女に似合っている。

「そういえば最近見ないね」同じマンションの住人のことだ。わたしと亜美ちゃんが歩いている時に、何度か顔を合わせたことがある。ちょうど生活のリズムが似通っていたのだろうか。暗い顔つきだったが、軽口を叩き、挨拶をしつつ立ち話をよくした。

「このマンション、出ていったのかな」

「何か人を探してるって言ってたよね」

それきり矢部さんの話は立ち消えになる。そして、着替え終えたところで亜美ちゃんは、「キャッチボールに行こう。お姉ちゃん」と言った。

「わたしに勝てるかな」と立ち上がると、「キャッチボールって、そういう勝ち負けとかないから」と彼女が苦笑した。

マンション一階のエントランス、各部屋の郵便ポストが並んでいるその上に、グローブが二つ載っていた。亜美ちゃんはそれを手に取る。「これ、昔、お兄ちゃんと使ってたんだよね」と埃《ほこり》を払って、片方をわたしに寄越した。彼女と親しくなったのは三ヶ月ほど前で、たまたまわたしの部屋の水が階下に洩《も》れ、そのことを謝りに行ったのがきっかけだった。「律儀だね。今どき、他人の家を訪れたら、急に殺されちゃうこともあるのに」と彼女は忠告した。

公園に着き、ボールを投げ合う。わたしは子供の頃からスポーツが得意ではなく、球技ときたらまるで馴染《なじ》みがなかったのだけれど、「スポーツの得意な姉」を演じるつもりになったら、それなりにできた。勢いよくは投げられなかったが、どうにか亜美ちゃんの立つ場所まで届く。グローブが小気味よい音を鳴らす。

亜美ちゃんの球は鋭い。わたしの胸めがけて、真っ直ぐにボールが飛んでくる。目を瞑《つむ》りながら、グローブを前に出すと、偶然、ボールを捕まえられた。「うまいうまい」と亜美ちゃんが言う。

気を良くしたわたしは、だんだんに自信をつけ、投げるボールの勢いを強くした。調子に乗りやすいな、と我ながら思う。「亜美ちゃんはOLとかやってたの？」と身体を不恰好に振り、ボールを投げ、訊《たず》ねた。

ボールを受け止めた彼女が小さく振りかぶる。「OLというか、うん、仕事はしてたよ」

ボールがわたしの胸に向かってくるので、慌ててグローブを突き出す。ばちん、と音がする。ボールはいったん入ったものの、地面に、ぽてり、と落ちた。しゃがんで拾った。「何の仕事だったの」

「うーん、忘れた」

忘れるわけがないから、思い出したくない、という意味だろう。

「亜美ちゃんってさ、彼氏とかいるの？」しばらく無言でボールを投げ合った後、別の質問を口にしてみた。キャッチボールのついでに発すると、どんな質問も公園の空気に拡散して、消えていくようだ。

「いたけど」亜美ちゃんはボールを捕ると、「死んだ」と投げ返してくる。わたしは顔を背《そむ》けたくなるのを我慢して、ボールを受け止める。今度は無事にキャッチできた。

「お姉ちゃんは？」

「わたしもいたけど、小惑星なんかより先に、関係のほうが壊れたよ」

「どっちが原因で別れたの？」興味があったのか、それとも興味のあるふりをしたかったのか、亜美ちゃんはキャッチボールを中断し、駆け寄ってきた。わたしたちは自然とグローブを外し、公園を出る。話し合ったわけでもないのに、マンションへと帰りはじめた。

「彼が言い出した。結局さ、近くにいたのがわたしだったからわたしと付き合っただけみたい」

同じ劇団の劇団員で、同い年だった彼は、見てくれは良かったけれど、演技の才能はなく、個性を出そうとするあまりに作為的なぎこちなさが目立ち、見苦しい役者だった。

「酷《ひど》いなー」と亜美ちゃんが言ってくれる。

「まあ、ようするに、わたしと付き合っていても、わくわくしなくなったらしい」

「どんな人間と付き合ったって、永遠にわくわくできるわけないのにねえ」亜美ちゃんが憤《いきどお》りの声で言う。「おまえのほうがよっぽど、わくわくしないっつうの」

わたしはその、威勢の良い言葉に笑う。まさに、妹を援軍に迎えたかのような、心強さがあった。

「わたしも悔しくてね、あの男の真上にピンポイントで隕石《いんせき》とか落ちればいいのに、とか念じたけど。本気で」

「実際に小惑星のニュースが流れる前のこと？」

「あのニュースの後はさすがに思わないよ」

「じゃあ、今回の衝突は、お姉ちゃんの祈りが通じたわけだ。お姉ちゃんのせいだ」

「ピンポイントで、って頼んだんだけどなあ」

二人で笑い、緩い坂道を進む。心底から、というのとは違い、わたしは無理して笑う。亜美ちゃんもそうじゃないだろうか。先細りの世界を進んでいる今、無理やりにでも笑みを作らないと、即座に血の気が引いて、倒れてしまいそうになる。道の両脇には乗り捨てられた車が何台かあった。電信柱に衝突したままのものもある。

「最近、少しずつ落ち着いてきたよねえ」亜美ちゃんが言ってくる。

「小惑星の情報、嘘だったのかな」

「単にみんな、疲れただけじゃないの」以前であれば、男であろうと女であろうと道を歩いていれば、自暴自棄の人間や凶器を持った賊に襲われた。わたしはたまたま、逃げることができたが、そういう現場を何度か目撃した。今は打って変わって、静かな路上となっているが、おそらくこれは、人を襲ったところで状況は何一つ改善されない、と多くの人間が気づきはじめたからだ、と思ってもいた。

「ねえ、お姉ちゃんはさ」マンションのエントランスが見えはじめた頃、亜美ちゃんが言った。「今、その、元の彼氏のこと許してるの？」

「許してる？」とわたしは聞き返し、すぐに、「許すも何も最初からそんなに、憎んでなかったからな」と答えた。

「そっかあ」

「亜美ちゃんは、誰か許せない人とかいるの？」

「わたしは、そうだね、わたし自身が許せないな」彼女は真面目な顔で言った。

4

いったん部屋に戻ると、居間に飾られた時計を確認した。午後の三時過ぎだ。台所の棚を開け、ビニール袋にしまってある干し芋を引っ張り出す。適当な量を別の袋に入れ、鞄《かばん》に詰めた後で再び、わたしは部屋を出た。履いたスニーカーの生地がずいぶん薄いことに気づき、いつまで保《も》つか、心配になる。近所でも営業を再開している店が何軒かあるが、靴屋は見た覚えがない。

五分ほど歩き、スーパーマーケットの近くを右に折れると、小さな平屋に辿《たど》り着いた。トタンの屋根を載せた、似た形の家が十数軒連なっている。小さな庭があるものの、どこか貧弱な家構えで、ガラスが割れ、柵《さく》が壊れているところも多い。

表札のかかった家の玄関に向かい、チャイムを押すと、どうぞ、と子供が、大人の口調を真似したような声が聞こえた。玄関を開け、中に入る。「鍵を締めなさい、って言ったのに」と怒りながらわたしは襖《ふすま》を開ける。

中で寝転がっている子供が二人いて、そのうちの男の子が、「だってさ、鍵なんてかけたって、開けようと思ったらいくらでも開けられるじゃん」と高い声を出した。十一歳の男の子と、九歳の女の子がいる。兄妹だった。兄のほうの名前が勇也《ゆうや》で、妹が優希《ゆき》だ。双子と見間違うほど、外見が似ていた。八畳の和室で寝転がって、漫画の単行本を読んでいる。

彼らと知り合ったのはつい一週間前だった。夕方、わたしがこのあたりを歩いていると、彼らがふらついていて、「子供たちだけで外を出歩いていると危ないよ」と声をかけたのが、きっかけだ。草叢《くさむら》で毟《むし》ってきたと思《おぼ》しき猫じゃらしを振り回していた勇也が、「だって、俺たち二人しかいないんだから、子供だけで出歩くしかないじゃん」とむっとした。すぐ隣にいた優希も、「だって、わたしたち二人しかいないんだから、子供だけで出歩くしかないじゃん」とほぼ同じ台詞《せりふ》を吐いた。知ってる？　その猫じゃらしって本当はこんな時期にはないんだよ、異常気象なんだよ、と教えてあげたら、彼らは興味を持ってくれた。「へえー」

「お母さんは？」

「帰ってこないんだ。ずっと」

わたしは半ば強引に、彼らの家にお邪魔した。子供だけで暮らしているのが心配だった、と言えば聞こえはいいけれど、実際には、彼らに欠けている親の役割を演じてみたかったのかもしれない。

平屋は殺風景なほどに片付いている。家具もほとんどない。テレビとビデオがぽつんと置かれているくらいだった。彼らの家では六年前、引っ越しの準備が控えていて、ちょうど家具の処分を行った頃に、小惑星の騒動が起きてしまった、らしい。

「お母さん、もう驚いちゃって、引っ越しどころじゃないし、何にもする気がなくなったみたい」「せっかくマンション買ったのに」「中古だけど」「三十五年ローンで」「三人で間取りも決めたのに」「お部屋の色も選んだのに」

この六年近く、理不尽な悲劇とかやり切れないことをたくさん見て、さすがにわたしも慣れというか、飽和状態というか、感覚が鈍くなってはきていたけれど、楽しみにしていたマンションへの引っ越しの中断を余儀なくされ、母親を失い、それを淡々と話す子供二人を見て、久しぶりに涙が出た。

「何で泣いてるのさ」勇也が、わたしを醒《さ》めた目で見て、「みんな一緒におしまいなのにー」と優希が口を尖《とが》らせた。

「そんなの分かってるって」と言い返すと勇也は、「おばさんだって、死ぬんだから」と言った。自分に言い聞かせるようなその声は上擦《うわず》っていたけれど、わたしはまず、「おばさんってわたしのこと？　勘弁してよ」と定石通りに怒り、お母さんと呼べ、と指示した。

「偽《にせ》お母さん」と二人は、わたしのことを呼ぶ。偽ウルトラマンのようなものだろう。最近はほぼ毎日、この家を訪れている。子供二人では心配だから、とマンションで一緒に住むことを提案したが、彼らは拒んだ。理由は二つ。

「お母さんが帰ってくるかもしれないんだから」

「タマが帰ってくるかもしれないから」

彼らの母親は一年前、食べ物を調達してくる、と出て行ったきり帰ってこなかった、と言う。タマ、というのは名前から推測するとおそらく猫だろう、と思っているのだが、そのタマも半年前から戻ってこない。

テレビの上には、母親の写真が載っている。勇也と優希に挟まれて写っている彼女は、黒いワンピースに、ピンクのマフラーを巻き、若々しかった。

彼女はどこかで物騒な事件に巻き込まれたのではないか、タマはどこかで食料となったのではないか、とわたしは想像するが、それを彼らに伝えるほど傲慢《ごうまん》ではない。「書き置きしておけば？　そうしたら家を空けても、お母さんが帰ってきても分かるよ」と提案したら、「タマは字が読めないよ。馬鹿じゃないの？」と言われた。

唯一幸いだったのは、食事に関しては困っていなかったことだ。彼らの母親が大量の缶詰と野菜ジュースを保管していた。

「お母さん、騙されたんだよね」勇也が教えてくれた。

楽で、実入りの良い仕事がある、という広告に騙され、缶詰販売の仕事を請け負ったのだという。「マンションのローンもあるのに、仕事を辞めさせられちゃって、お母さん、焦ってたんだ」

母親がその販売員に登録すると、本部からはこう指導された。まずは、自分の売るべき商品を大量に購入するように、と。とにかく、買いなさい、騙されたと思って。ほどなく、部屋に収まり切らないほどの缶詰が段ボールに入れられ、郵送されてきた。商品を高値で売れば、差額分があなたの儲けになるんですよ、こんなに稼げる仕事は他にないですよ、良かったですね。母親が問い合わせた本部からの返事はこんな感じだった。

缶詰は当然のごとく、売れなかった。「騙された」と母親は嘆き、仕入れた缶詰代をどうやって返そうかと途方に暮れたが、そこで、小惑星の発表があった。

「だから、缶詰代も払わなくていい、って」勇也が言う。「踏み倒しちゃえ、ってお母さん、言ってた」と楽しそうに優希が言う。「で、ローンもよく分からなくなったし、缶詰だけ残ったんだ」と勇也が続けた。当時の彼らがそこまで詳細を理解していたはずがない。おそらくはその後、自分たちで想像した部分が大半なのだろうが、彼らはとにかくそう言った。

母親が賢明だったのは、缶詰をすべて、床下に隠したことだ。食料の奪い合いになることを予想したのだろうか。今も勇也たちが無事なのは、この家ががらんとし、奪う物が何一つないおかげだからで、もし、部屋に缶詰が積まれていたら、とうの昔に収奪者が侵入してきたはずだ。

頭いいね、お母さん、とわたしは口に出す。

「でも、偽お母さんも頭いいじゃん」お世辞のつもりでもないだろうが、勇也が言った。

「わたしは嘘つくの、うまいから」

「ダウト強いし」

この子供たちと会ってから、何かといえば、トランプをやることが多かった。特に、ダウト、だ。この家では人気の種目だったらしくて、「何して遊ぼうか」と訊《き》くと、「ダウト！」とくる。

わたしはトランプで遊ぶこと自体が久しぶりだったし、ましてや、「ダウト」とは遠ざかって久しい遊びだったので、故郷の小さな商店がいまだに営業を続けていると耳にしたかのような懐かしさと新鮮さを感じ、しかも、そのゲーム内容にまるで変化がないことに、笑った。カードを三人に配る。最初の人が、「1」と発声し、自分のカードを裏にして、前に出す。それが本当に、「1」のカードかどうかは分からない。嘘だと思えば、「ダウト！」となじってやる。本当に嘘であれば、場に出ているカードを、見抜かれた人間がごっそり回収するし、濡れ衣であれば、なじった人間がその責任を取り、カードを全部、拾う。最初に手持ちがなくなった者が勝利する。それだけのゲームだけれど、真剣に戦えば面白い。人を疑うことを知るには、ちょうどいい遊びに思えた。

二時間近く、ダウトに興じた後で、わたしは台所に立ち、そこは廊下兼台所という趣《おもむき》なのだけれど、缶詰を温めて夕食を作る。わたしが持ってきた干し芋も、みんなで齧《かじ》った。味気なく、あっという間に食べ終わる夕食だったが、勇也と優希の表情には満足感が浮かんでいて、わたしも満ち足りた気分になる。

そして、風呂にお湯を入れる。少し前から、ガスの供給が再開され、そのおかげで簡単な調理も可能だし、風呂を沸かすこともできるのだけれど、どうして、ガスがくるようになったのか、理由は分からない。治安が良くなってきたことに起因するのか。ただ、それにしても、誰がどんな使命感を抱いて、ガスを届けてくれているのか、想像ができなかった。だから最近は、もしかすると小惑星が落ちるのは嘘だったんじゃないか、とか、このガスは本当にガスなのか、とか、そんな疑いも持つようになった。この街や市の外側で、ガスや電気を供給しながらこちらを観察している誰かがいて、「あいつら、本気で世界の終わりだと思っているようだぜ」とにやにやしているのではないか、とそんな気分になる。風呂場の湯船のお湯加減を確かめながら、「ダウト」と指差した。

お風呂から出てきた二人は、髪をタオルでごしごし擦りながらテレビの前に座り、ビデオを再生する。何度も観ている、子供用ヒーロードラマを録画したものだ。母親がいなくなってからというもの、彼らは暇になるとこれを観てきたらしい。「でも、最終回だけ、観てないんだよ」「お母さんが録画、失敗したんだ」「最後、どうなったのかな」

わたしはその話を聞き、もしかしたら、と近所のレンタルビデオ店に立ち寄った。わたしと同じマンションに住む男性、確か渡部さん、が働いている小さなお店だ。こんな状況になってもまだ営業をしている。

向こうもわたしの顔は見たことがあったのか、店に足を踏み入れると、「ああ」という顔になり、笑った。訊ねるとすぐに、その子供向けのコーナーに案内してくれた。ずらっと並ぶビデオテープの中に、勇也たちが観ていたシリーズを見つけると、「発見！」と嬉しくなった。子供たちの喜ぶ様子を思い浮かべ、自分自身が幸せになる。母親とはこういうものだろうか。

「最終話ってこれですか？」と一番右端の箱を引っ張り出すと、「あー」と渡部さんが悲鳴のようなものを上げた。「これ貸し出し中ですよ」

「えー、そんなー」と嘆き、調べてもらうと、もう数年前から貸し出し中のようだった。

「延滞料金、すごいんじゃないですか？」

こういう延滞料金については、どんなに延長しても、本体価格以上は請求しないお店もあるらしいが、渡部さんのところは、単純に日数で計算するので、まともに算出するとかなりの額になるらしい。「楽しみですね」と彼は笑った。

「明日さ、お母さんの家に行こうかな」勇也が、テレビ画面を見つめながらおもむろに言った。「偽お母さんの」

「お、いいよ」わたしはそこは慎重に、あまりはっきりと歓迎すると彼らが圧迫感を覚え、退いてしまうのではないか、と警戒し、ごく自然な口調で返事をした。

台所の引き出しにあった、古い雑誌を引っ張り出して、白紙に近いページを切り取ると、マンションまでの道のりを簡単に描いた。確か、最初に会った時にも伝えたはずだが、覚えてはいないだろう。

じゃあ明日午後の三時にね、と玄関で挨拶をする。思えば、とそこで気づく。「わたしが、ここに住めばいいんじゃないのかな？」

5

夜になるとわたしは、同じマンションに住む一郎の部屋に行く。三階同士とはいえ、半年ほど前まではほとんど顔を合わせたことがなかった。それがひょんな拍子で親しくなった。

このマンションで籠城《ろうじょう》事件が起きて、警察が住人を外に避難させたことがあったのだ。もちろんわたしも非常階段から外に出て、マンションを取り巻く野次馬の一人になったのだけれど、その時に隣にいたのが一郎だった。「もうすぐ、隕石が落ちてくるのに、立てこもる意味なんてあるのかなあ」同い年くらいか、と思い、何の気なしに話しかけた。実際にはわたしよりも五歳上だったのだが、童顔のため、同世代の友人と対面している気分だった。それをきっかけに、いつの間にか、部屋を行き来し、一緒に寝る間柄となっていた。

「あの時の犯人、まだ捕まってないんだろうね」ベッドで横になり、ふいに思い出したわたしは言った。

「あの時の？　ああ、籠城した？」彼は枕が頭に馴染まないのか、ごそごそと動く。

「というよりも、警察が今もまともに機能してるとは思えないよな」

「でも、この間、街の路地を通りかかったら、刃物を持ってる人を捕まえてたよ。取り押さえて、殴ったり」

「それはさ、たぶん、正義感ってよりも、大っぴらにストレスを発散させるために警察官をつづけているんじゃない？」

「もしそうなら、酷いね」

「そうでもなければ、このご時世、警察官なんてやらないさ」

枕もとの時計に目をやると深夜一時だった。午後九時にこの部屋にやってきて、それから一緒に風呂を浴び、ベッドに入り、裸のままで、ああでもないこうでもない、と絡み合った後だ。汗もひき、わたしたちは思い思いにパジャマを着て、恋人同士のように軽口をたたいている。

「いつもさ、一郎って、日中はなにやってるの？」

時々、近所の人たちとサッカーをして遊んではいるものの、後は、机に向かって日記のようなものを書き記していることが多かった。

「自伝を書いてるんだって。自伝」

「自伝？」わたしは甲高い声を上げてしまう。「一郎の？　ファーブルとかのじゃなくて？」

「何で俺がファーブルの自伝を書くんだよ。俺のだよ、俺の」

「だって、一郎って別にすごいことやってないじゃん」

「すごいことやってない、なんて、寂しいこと言うなよ。まあ、その通りだけど」室内はすでに暗かったけれど、一郎が苦笑するのに合わせて、空気に皺が寄るような気配がある。

「だいたい、一郎って昔は何の仕事してたわけ」以前にも訊ねたが、お茶を濁された。

彼は鼻から息を小刻みに洩らし、それは笑いつつも照れているようで、「それを教えるとさ、倫理子《りりこ》にあれをやってくれ、これをやってくれって言われそうだしな」と言った。

「何それ」とわたしは言ってから、アダルトビデオに出演していたわけでもあるまいし、とからかった。

「違うけど、似てるかも」と彼は噴き出す。

もしこういう状況でなかったら、ごく普通の日常と生活が続いていたとしたら、わたしは、彼の恋人になりたい、と思っただろうか。ふとそんな考えが頭に浮かぶ。分からない、としか言いようがない。

一郎には恋人がいた。あまり口にしたことはないけれど、その彼女とのスナップ写真が机の上の日記に挟んであるのをわたしは知っている。だからといって、不愉快になるわけでもない。わたしは役を演じている。彼氏を得た女、になりたいだけで、それは一郎のほうも同じではないか。

「俺たちが滅びても、いつか俺の自伝を誰かが見つけて、感心するかもしれないよな」

「そのために書いてるわけ？」

「そう」

「あのさ、分かってると思うけど、小惑星が落ちたら、そんな日記みたいなのは全部、消えちゃうと思うんだけど」

「嘘、マジで？」一郎は本気で驚いているので、わたしは爆笑してしまう。「マジです」

6

朝、起きるとわたしはさっさとシャワーを浴び、服を着て、一郎の部屋を後にする。出掛けに、「じゃあね」とベッドに挨拶をすると彼は、「ああ、悪いな、俺、低血圧で」ともそもそと言って、その後に、わたしの名前とは似ても似つかない別の女性の名前を口にした。おそらくは、あの写真の女性の名だろう。わたしは自分でも驚くくらいに、そのことにショックを受けず、まあそういうものかな、と思った。恋人同士の役を演じる役者が、ふとした拍子に、現実の恋人の名を口走ってしまったようなものだろう。ミスではあるけれど、罪ではない。

ただ、そのまま聞き流すのも嫌なので、玄関から出る際に、「ダウト」と言って、それから、「じゃあね、宗明《むねあき》」と以前交際していた彼氏の名前を呼んでみた。

自分の部屋には戻らず、すぐに階段を下って、外に出た。腕時計を見れば朝の七時で、白い雲がちらちらと浮かぶだけの青空は清々《すがすが》しく、心なしか足どりも軽やかになる。

「ヒルズタウン」の北へと進んだ。

途中で、軽トラックとすれ違った。正面からやってくるその白いトラックの荷台には、白菜とキャベツが山のように積まれていた。運転席に乗っているのは、スーパーマーケットの店主だった。突き出した顎《あご》が特徴的だ。助手席には猟銃が置かれている。路面の悪い道を速度を上げて、あっという間に走り抜けていく軽トラックは颯爽《さっそう》としていた。助手席にラジカセでも置いてあったのか、開いた窓からは、騒がしいロックが流れ出ていた。走り去った後をしばらく眺めてしまう。遅れて舞い上がった埃がわたしの目の前を曇らせた。どこで入手した野菜なのかは判然としないが、この時代に店を維持し、食料を供給する店主は限りなく、英雄に近い。

しばらく歩いていくと、今は廃屋と化した、こぢんまりとした酒屋に辿り着いた。ガラスが割れ、店内のケースは横倒しになり、床には乾いた血液のような色が見える、無惨な店構えだったが、奪われるものがなくなった酒屋は、今や安全な場所の一つに違いない。その店の物置脇に、犬が繋がれている。

もちろんわたしの犬ではない。いつの間にか誰かが繋いだのか、気づいた時にはそこにいた。茶色に黒の混じったような地味な毛をした、耳の立った雑種犬だった。近寄ったわたしに気づいて、尻尾を振る。なぜか鳴かない犬だった。昔からそうだったのか、鳴いて痛い目に遭って学んだのか。四肢でしっかりと立ったまま、わたしを見る。小刻みに繰り返す息が可愛らしい。

「良かったなあ、君は美味しくなさそうで」ポケットから昨日の残りものである干し芋を取り出して、犬の前に置く。あっという間だ。下を向いたかと思うと、ぺろっと一口で食べた。くっちゃくっちゃと口を動かすと、「次は？」という目で見てくる。今日の分はもうない、とわたしは手品をするように、手を振る。

物置の中から綱を引っ張り出し、首輪に付いているチェーンと交換し、散歩に出る。

犬の名前は分からず、そもそも名前があるかどうかもはっきりしないので、わたしは、呼びかける時には、「犬」と呼んでいた。もちろん犬のほうも、イヌと普通名詞で呼ばれてピンとくるはずもないのか、たいがいきょとんとしている。散歩の最中も鼻を地面に寄せ、熱心に歩いていたかと思うと、時折はたと立ち止まり、綱を握るわたしを振り返る。あれ、おまえ飼い主だったっけ？　という怪訝《けげん》な目で、鼻の穴をひくつかせる。

すみません飼い主じゃないです、とわたしは謝る。

不思議なことに犬の散歩ルートはいつも違っていた。縄張りを確認し、見回るのが目的だと思っていたけれど、毎回、違った方角へと足を向け、わたしも制止する必要がないから、それに従って、ついていく。縄張りの拡張がしたいのか、それとも、仲間を探しているのかも分からない。北東へと向かいはじめたところで、正面から歩いてくる中年の男とすれ違った。背が低く、腹の出たその男性は見たことがない顔だった。無精ひげを生やし、目の下には隈《くま》があり、顔色も良くない。清潔とは言いがたく、わたしは、彼が急に襲いかかってくるのではないか、と一瞬危険を感じ、犬の綱に力を込めて引き返そうかとも思った。けれど、それも失礼かと考え直し、しかも彼の右手に綱があり、綱の先には小さなブルドッグが繋がっていたので、「犬好きに悪人はいない」なる偏見に満ちた格言を思い出して、「こんにちは」と挨拶をした。わたしの犬とブルドッグが警戒と親密さを発散させ、お互いの臭《にお》いを嗅ぐ。

「ああ。こんにちは」男が頭を下げる。生気はないが、正気を失っているわけでもなさそうだった。「お互い、無事で何よりだな」と初対面であるのに、同志に声をかける様子でもある。

「どうにかこうにか」とわたしは答える。「ちょっと前まで、犬も猫も攫《さら》われちゃうことが多くて、大変でしたよね」ブルドッグに目をやる。

「みんな、食べちゃうんだよな」彼は怖い顔で呟《つぶや》く。怒っているようでもないから、そういう顔なのだろう。合わせて、ブルドッグも表情を曇らせたようにも見えた。そうなんだよ、食おうとするんだよ、困ったもんだよ、と。「まあ、俺はどうせなら」

「どうせなら、何ですか？」

「俺が先に死んだら、こいつに食ってもらいたいけどな」

「それは」とわたしは予想外の返事にぎょっとした。「それはまた、大胆な」

「今すぐ死んで、餌《えさ》になってやる、ってほどの勇気はないんだが」

「そんなことしたら、ブルドッグが泣きますよ」

「そうかなあ」彼は先へ進もうとしたが、その時に、わたしの綱の先に繋がる犬に一瞥《いちべつ》をくれ、「皮膚病か？」と洩らした。

「え？」

「その犬、首とか腹に発疹《ほっしん》がある。赤く。痒《かゆ》がってるだろ？」

言われてみれば犬は、足を器用に使い、首や腹を擦っていることが多かった。わたしはその場にしゃがみ、首輪の横の毛をよけてみる。確かに、赤く、ぽつぽつとたくさんの発疹がある。「これ、どうすれば」わたしは顔を上げて、訊ねたが、男とブルドッグの姿はすでになかった。忽然《こつぜん》と、風に吹かれて舞った地面の砂に、紛れて消えてしまったかのような呆気《あっけ》なさだったため、わたしは立ち上がり、左右の道を交互に眺めやるが、影すら見つからなかった。

いつの間にか、首輪から綱が外れていた。

金具がおかしかったのだろうか。あ、と思った時にはすでに遅く、犬はそこで勢いよく走り出していた。鎖から解放された自由を満喫したかったのか、もしくは、わたしからよほど逃げたかったのか、道を真っ直ぐ駆けて、ぐんぐん遠ざかった。

どうしようか、と立ち尽くすわたしには選択肢が二つあった。跡を追うか。犬は気にせず帰るか。

道の先には杉林があり、不気味な様子に満ちていたため足を踏み入れるのにはためらいがあった。けれど、後先を考えずに入った。踏み均《なら》された細い道がある。早朝の陽射しが木々に隠れて薄暗い。背の高い杉の木が揺れ、地面に交錯する影が震えるように動く。頭上から鳴る葉の音も含め、周囲全体がわたしに警告するようで、足がすくみそうになるが、必死に駆けた。周囲を忙《せわ》しなく見ながら、「犬、犬」と呼んだ。

ところどころに鞄やリュックサック、ごみの袋や段ボールが転がっている。視線をずらす。いくら落ち着きを取り戻したとはいえ、終末に向かいつつある世の中が整っているわけがないのだ、と改めて実感した。治安は乱れたまま、ごみは増えつづける。綻《ほころ》びは直らない。

犬は、少し下った場所、茶色く濁った池の近くで見つかった。たまたま、見下ろした視界に姿があった。

駆け寄ると、犬は鼻を地面に近づけ、うろつき回っている。池のまわりには原形を留《とど》めない生ごみや腐った木々が転がっていたから、その臭いに興味を持っているのかもしれない。わたしには吐き気を催す腐臭にしか思えない。犬の脇にしゃがんで首輪に綱を装着するが、そこで左手に落ちている布に気がついた。

思い当たる節があったわけでもない。考えるよりも先に左手で、その布を摘《つま》み上げた。地面の泥に塗《まみ》れていた布が、ねったりとした粘着質な音とともに、姿を現わす。ピンクのマフラーだ。ところどころほつれてはいるが、かろうじてマフラーだと分かる。

「マフラー」わたしは呟く。犬がちょこまかと動き、こちらの脇の下に顔を突っ込むようにした。脳裏に甦《よみがえ》っていたのは、勇也と優希の家にある、母親の写真だった。彼女が首に巻いていたマフラーと、これはよく似ていた。気のせいといえば気のせいだが、気のせいじゃないと思うこともできる。

犬を引っ張り、舗道へ戻る。ぬかるんだ地面を歩いているから、という理由だけでなく、わたしの身体は重かった。貧血を感じ、何度か休む。杉林の中を縫うように、太陽が射し込んできたが、黒々とした闇の中を進む気分だった。

犬が足で首を掻《か》くのを見て、さらに憂鬱にもなる。マフラーを見つけたところで、勇也たちにそのことを伝えるべきかどうかも判断できない。犬の痒みを止めることもできない。できない尽くしだ。母親ぶったりしているが、ごっこ遊びに過ぎず、大事な役割はまったく果たせていないのではないか、結局はそれは、と自分の不甲斐なさに絶望的な思いになり、その場に膝をつきたくなった。許して、とわたしは誰かに縋《すが》りたかったが、許しを乞う相手すら思い浮かばない。

7

「たとえば」わたしは、早乙女さんの家の縁側にまた、ぼんやりと座っている。庭木をいじる早乙女さんの背中に声をかける。「つらい真実って、本人に教えてあげるのと黙ってるのと、どっちが正解だと思います？」

急にそんな問いを投げかけられても早乙女さんは怒らない。植木鋏《うえきばさみ》を持ったまま、ゆっくりとこちらに向き直り、「何かあったわけ」と微笑んだ。

「譬《たと》え話なんだけど」実話なんだけど、とは言えず、「飼ってた猫がいなくなっちゃって、でも、探してみたら近くの道で車に轢《ひ》かれているのを見つけちゃった。そういう時、自分の子供にそのことを教えたほうがいいのかな」正確には、猫ではなくて、母親だ。

「子供いるんだっけ？」早乙女さんが笑う。「そうだねえ、わたしには分からないけど、どっちもいいんじゃないのかな」

「どっちも？」無責任な。

「どっちも正解」早乙女さんは、わたしの隣に座る。よいしょ、と自分に発破をかけ、ゆったりと腰を落とす。「どうしたら子供のためになるのか一生懸命に考えて、決めたなら、それはそれで正しいんだと思うんだよねえ、わたしは。外から見てる人はいろんなこと言えるけどね、考えて決めた人が一番、偉いんだから」

「そうかなあ」

早乙女さんは目を細め、わたしだって庭の手入れなんて素人でどうしたらいいか分からないけど、気持ちは込めてやってるからね、うまくいかなくて枯らしちゃったとしても後悔しないことにしてるんだよ、と笑った。自己満足とも言うけれどね、と断り、「だから、うちの息子が孫を連れて、いなくなったのも、まあ、必死に考えた末だったのかな、とかね、納得しようと思ってるわけ。この、おばあちゃんは」とも言った。

「そっか」わたしは相槌《あいづち》を打ち、そして、早乙女さんから発せられる安心感のオーラに、まどろんでしまいそうになる。早乙女さんの息子夫婦が、早乙女さんを連れていかなかったのは、いざ青葉山の橋から飛び降りる際に、早乙女さんの温かみがあると、踏ん切りがつかない、と恐れたからではないか。

「おばあちゃんは、息子さんたちのこと許してるんですか?」わたしはふとそう訊ねたが、その時には、すでに早乙女さんの姿が消えていた。「おばあちゃん?」と小さな声で呼んでみる。部屋からの返事はない。その室内の静けさに恐怖を感じた。

舞台から次々と消えていく。

最近になって、そういう夢をよく見る。起きている時にもその恐怖に襲われるから、夢というよりも、空想なのかもしれない。舞台で演技をつづけているわたしを置いて、次から次、役者が消えていく。照明は次第に暗くなる。客席に転がり落ちる者もいれば、舞台の袖にすっと去っていく者もいるし、右往左往するわたしだけが舞台を降りるきっかけをつかめないでいる。わたしを残し、他の役者たちはさっさと別の場所に移動をし、打ち上げでもやり、愉快にやっているのではないか、と勘ぐりたくもなる。「許して!」とわたしが喚《わめ》くと、舞台が真っ暗になり、自分自身が消える。

大きな音が鳴り、同時に地面がずんと響き、家全体が震えた。襖が音を立てる。

何事か、と慌てて、居間に戻る。おばあちゃん?　と呼ぶが、返事はない。二階だ。早乙女さんが二階に行ったところなんて、今まで見たこともなかったから意外だった。大股で階段を昇っていくと、正面の部屋で倒れている早乙女さんを見つけた。「どうしたの！」

早乙女さんは絨毯の上で、腰を曲げ、倒れていた。脇には小さな脚立《きゃたつ》が転がり、見上げれば、天袋の扉が開いたままだった。物を取り出そうとして失敗し、転んだらしい。駆け寄ると早乙女さんは、意識はあるようで、「いたた」と顔をしかめ、わたしに気づくと、「ごめんねえ」と謝った。

大丈夫？　と声をかけながら抱くようにして、身体を起き上がらせる。

「もう年だねえ」苦笑しつつ上半身を真っ直ぐにする。けれど、すぐに背中を押さえて呻《うめ》く。筋を捻《ひね》っちゃったのかね、と苦しそうだった。

ゆっくりゆっくり、とわたしは声をかけ、体勢を変え、壁に寄りかからせてあげる。

「いったい、何をしたかったの？　言えば、わたしが取ってあげたのに」と天袋を見上げる。

「倫理子ちゃん、いつも来てくれて、悪いでしょ。わたしといても退屈だろうし。だから、ビデオとかね、トランプとかないかと思って」早乙女さんが照れ臭そうに口元をゆがめる。

「退屈なわけがないよー」わたしはそう言い、早乙女さんの肩を軽く叩いた。笑いながらではあったけれど、内心では、やっぱり駄目なのかなあ、という気持ちが強かった。孫のふりをして仲良くなっても、結局は、お互いに無理をしているのだな、と痛感した。

「本当の家族だったら、退屈とかさ、気にしないのにねー」

するとて早乙女さんは、「そんなことないよ。息子にも孫にも、気を遣ってて、大変だったんだよお、わたしは」と口元を緩めた。

チャイムが鳴ったので、早乙女さんの顔を見る。「誰だろう」

「さあ」

「前にも来た、あれかな。方舟《はこぶね》がどうこうとか」以前、この家を二人組の若い男が訪問してきたことがあった。「方舟の乗員を募集しています」という奇妙な勧誘だ。彼らは黒系統の古い背広姿で、早乙女さん相手にとうとうと説明をはじめた。わたしにはそれが、老人相手に行う訪問販売のたぐいに見え、慌てて、割って入った。「目的は金ですか?」

「こんな終末に金目当てに行動する人間がいると思いますか」

「じゃあ、何のために」

「新しい世界ですよ」

「宗教だ」

「その言葉、誉《ほ》め言葉として、受け取っておきますね」

余裕しゃくしゃくで答える男たちには誠意も感じられたが、結局、何の用件なのか分からず仕舞いだった。「もしかすると、この小惑星の騒動自体が大掛かりな嘘で、こういう状況を作って、人々を不安がらせて、誰かが金を巻き上げようとしているのではないか」わたしは後になり、想像を広げてみた。「手間がかかってる詐欺ねえ」早乙女さんは感心するように言った。

だから今回もわたしは、また、その時の男たちが再訪してきたのだな、と決めつけ、「ちょっと待っててね」と早乙女さんをそのままに、威勢良く一階へと向かい、玄関を開けた。追い払ってやるぞ、と。

するとそこに立っていたのが亜美ちゃんで、わたしは驚いた。状況が理解できず、前に立つ亜美ちゃんとしばらく無言で向かい合った。いらっしゃい、と挨拶をしそうにもなるが、「どうしてここが？」と訊ねた。

「来ちゃった」申し訳なさそうに、もしくは、満足そうにはにかむ亜美ちゃんは、まさに妹そのものだ。

8

「だってお姉ちゃん、いっつも忙しそうだし、わたしと会ってない時って何やってるのか、興味があるでしょ」亜美ちゃんが早口で話しはじめる。「何をしてるの？　ここ、誰の家？」と首を動かし、家の中を覗《のぞ》こうとする。「実はこのあいだ、お姉ちゃんがこの家に入るのをたまたま、見かけたんだよね。で、もう家族も親族もいないって言ってたのに、どこに行ってるのかなって気になって。もしかして、彼氏かも、とか期待して、それでこうしてやってきたわけ」

「あのさ」苦笑せざるを得ない。「堂々と正面玄関から、チャイムを鳴らしてやってくるとは大胆だね」

「でも、庭のほうからこっそり覗いてさ、お姉ちゃんが彼氏と裸でいいことしてたら、それはそれで悪いでしょ」

「彼氏と裸でいいことをしてたとしたら、チャイムを鳴らされても迷惑なんだけど」とわたしは肩をすくめ、そして、ここは早乙女さんというおばあさんの家なのだ、と伝えた。気が合うので、時折、遊びに来るんだ、と。

すると亜美ちゃんが、「それなら、わたしだって知り合いになりたいよ」と快活に言った。わたしだって気が合うはずだよ、と。

「実は今、早乙女さん、二階で転んじゃって、大変なんだ」

「それは大変」亜美ちゃんの行動は早かった。靴を脱ぐと、すぐさま部屋に上がり、あれよあれよと階段を昇っていく。わたしもすぐについていく。

「あら、また若い子が」早乙女さんは、亜美ちゃんの登場にも鷹揚《おうよう》な対応を見せた。わたしは、彼女が同じマンションに住む女の子で、ちょっと遊びに来たのだ、と説明をする。

「それはわざわざ」早乙女さんはうなずく。身体を起こそうとしたが、そこで、痛い、とまた眉《まゆ》をひそめた。「ここんとこずっと背中が痛くてねえ」

「わたしがマッサージしても、うまくいかなくて」わたしは言う。

するとあ亜美ちゃんが、ぱちんと手を叩いた。「そういえば、うちのマンションにマッサージ師の人、いたよね？」と言った。

「いたっけ？」

「うん、いたと思う。その人に来てもらおうか、お姉ちゃん？」亜美ちゃんが首を傾《かし》げる。

「来てくれるかな」

「それよりも、まだその人が、生きてるかどうか分かんないけど」亜美ちゃんは笑った後で、「ちょっと呼んでくる」と飛び出した。

その素早さに、わたしは声を発する暇もなかった。「お姉ちゃんって呼んでたけど、妹さんなの？」と早乙女さんが上品な声で訊ねてくる。

「早乙女さんが、わたしのおばあちゃんであるように、彼女は、わたしの妹なんです」

あらー、と早乙女さんが楽しそうに答えた。

三十分ほど経ち、再び、チャイムが鳴った。わたしは、早乙女さんに肩を貸し、どうにか一階まで降りてきていた。その体勢が楽だ、というので早乙女さんは、座布団を枕がわりに、腰を曲げ、横向きに寝ている。

「亜美ちゃんだ」とわたしは玄関へと向かう。「どう、マッサージ師はいた？」ドアを開けると、そこには亜美ちゃんとその他、数人の人間の姿があって、わたしはぽかんと口を開けてしまう。「何で？」と言えたのもしばらく時間が経ってからだ。

「あれ、倫理子じゃないか」亜美ちゃんの隣の一郎が、言った。

「本当だ、偽お母さんだよ」勇也が、優希の耳元にそう言った。

「一緒に散歩に行った人だ」というかのように犬が尻尾を振る。

9

これはいったいどういうことなのだ、とわたしは混乱しながら訊ねる。亜美ちゃんは、「あれ、知り合いなの？」と不思議そうな声で言う。「この人、マッサージ師」と一郎を指差した。

「知り合いというか」わたしは言いよどんだけれど、一郎は躊躇《ちゅうちょ》することもなく、「彼女は、俺の今の彼女だよ」と説明したので、驚いた。自分の胸の奥で、ボールが弾んだような、浮き立つ気持ちを感じる。「彼女だよ」と即答されるとは思ってもいなかったからだ。その意外な喜びに小さく戸惑いながらも、「マッサージやるわけ？」と一郎に訊ねた。

「平和な時には」と彼が照れ臭そうに言った。「それが仕事だった」

「お母さん、タマが帰ってきたよ」勇也が、横から口を挟んだ。

「タマ？」

「ほら」勇也が、犬に繋がった綱を軽く持ち上げるので、わたしはまた驚く。「その犬？」

「そうそう、これ、タマ。さっきね、外を歩いていたらうろうろしていたんだ。な」勇也が言い、優希も、「うん、そう」とこくりとうなずいた。

「今、マンションに戻ったら、この子たちがいたの」亜美ちゃんが状況を話してくれる。マッサージ師の一郎の部屋に向かおうとしたところ、わたしの部屋の前に、勇也たちがいるのを見つけたらしい。わたしは慌てて、犬の首輪に目をやる。金具が外れているのが分かった。あの酒屋の物置から移動し、勇也たちとの再会を果たしたのだろうか。

「犬が戻ってきたから、教えてあげよーと思って」と勇也は言い、亜美ちゃんは、それなら倫理子のいる場所に連れていってあげる、と請け合った。その後で一郎に声をかけ、全員で、ここにやってきた、というわけだ。

「何これ」依然として、混乱の沼から這《は》い出せないでいた。頭がなかなか回転しない。滑車から歯車から何から何までが泥まみれで、頭が働かない、そんな感じだった。

「賑《にぎ》やかな感じだね」背後から、早乙女さんが明るい声で言うのが聞こえてきた。「上がってもらったら？」

そうだね、とわたしが答えるよりも先に、全員が靴を脱ぎはじめている。

10

一郎のマッサージは本格的で、かなり効き目がありそうだった。早乙女さんの身体をゆっくり動かし、状態を探るようにして、背中のつぼを押していく。うつぶせの早乙女さんが心地よさそうに声を上げた。

わたしは椅子に座り、そのマッサージの光景を眺め、プロの仕事は違うな、と感心しつつも、妙な集まりだなあ、と思った。偶然には違いないが、わたしが最近、関わっている人たちが一堂に会している。「今度わたしもマッサージしてよ」と声をかけると、一郎は、「だから、教えたくなかったんだ」と言った。早乙女さんが笑う。

亜美ちゃんは縁側に座り、繋いだ犬を見ていた。単に可愛がっているのかな、と思っていたのだけれど、実は違った。彼女は、わたしのところまで来ると、「お姉ちゃん、あの犬、皮膚に発疹が出てるね」と言ったのだ。

「そうなの」わたしは自分の罪を認めるような気持ちになる。

「発疹の部分の毛を刈って、薬用のシャンプーで洗ってやれば、治る時は治るけど、やってみようか」

「え？」

「わたし、獣医の卵みたいな感じだったんだよね」

「え、何それ」

「何それ、って、獣医」亜美ちゃんは自分を指差して、はっきりと発音をする。そして、「部屋にも少し薬とかあるし」と言った。わたしはすでに、先ほどから驚いてばかりだったので、何が何だか分からなかったけれど、「ぜひ、治してあげて」と答えた。うん、とうなずいた亜美ちゃんは笑ったかと思うと少し、表情を暗くし、世の中が大騒ぎになった時に、ずいぶんたくさんの犬や猫を見殺しにしたんだ、と告白をした。「そっか」としか答えられなかった。

「わたし、自分のことが許せなくて」と亜美ちゃんは自己嫌悪の滲《にじ》んだ表情を見せ、わたしも胸が痛くなる。

何を言っても気休めにしかならないな、と思いつつ、わたしは、「無責任だけど」と言うことにした。「わたしが、亜美ちゃんを許してあげるよ」

「どういうこと」

「亜美ちゃんを許してあげるってこと」

「たぶん、死んだ犬や猫たちが今、怒ってるよ。勝手に許すんじゃねえよ、って」

「かわりに、亜美ちゃんもいつか、誰かを許してあげて」わたしは気づくとそう言っていた。そして、「それにしても、犬にタマって名前を付けるセンスが理解できないよね」と大袈裟《おおげさ》に嘆いた。

その直後、どたどたと階段を駆け下りてくる音が響いた。勇也と優希が興奮した面持ちでやってきたのだ。彼らは、わたしの前に立つと、「お母さん、これ見て。上の押入れから落ちてきた」と手に持った箱を突き出した。

「勝手に人の物を持ってきちゃ駄目だって」とわたしは言いつつも、その箱を見やり、あ、と声を上げた。レンタルビデオ店のケースに入ったビデオテープで、タイトルを見れば、例の、ヒーロードラマの最終回ではないか。「何でまた」

「やったね」勇也と優希は疑問を感じることもなく、はしゃいだ。飛び跳ねる様子で、早乙女さんのほうへ行き、「ねえ、おばあちゃん、ビデオ観ていい？」と頼んでいる。

「いいよいいよ」マッサージを受けながら早乙女さんが答え、そしてちらっと顔を上げ、「ああ、そのビデオ、返してなかったんだね」と笑った。何年か前に、甥《おい》の子供が来た時に借りてきたままだった、と。「返さないとまずいねえ」

「いや、このままならばっくれちゃおう。返すと、怒られるから」背中を揉みながら、一郎が言った。「見なかったことにしよう」

早乙女さんが、うふふ、と息を洩らした。

もうこうなったら、とわたしはそこで自分勝手に決断していた。もうこうなったら、いっそのこと、みんなでここで住んじゃえばいいんじゃないの、と。オールスター競演ではないが、残った役者が全員で、舞台が終わるまで、ここで家族を演じるのも贅沢なことではないだろうか。

最近のわたしを悩ませる、あの、悪夢を思い浮かべる。誰も彼もが舞台から消えてしまう、あれだ。あの孤独に比べれば、この賑やかさは幸福以外の何物でもない。

それをどう提案しようか、と思案しながら、勇也の点けたテレビに目をやった。ビデオを入れ、再生しようとしていたが、その画面に気がつき、思わず、「ちょっと待って」と声を上げた。不思議そうに振り返る勇也と優希をよそに、わたしはテレビの前に近寄った。画面に、放送が流れている。

終末騒動の混乱は当然、テレビ局をも襲った。だから六年前から、かなり長い間、放送は途絶えていた。ただ、最近になり、わずかではあるが復活しはじめている。雑音と砂嵐の画面が大半だが、気紛れを起こしたかのようにニュース番組を映し出すことがある。電波の具合が異常になったのか、小惑星の接近が衛星に影響を与えたのか、稀《まれ》ではあるものの、海外のテレビ放送らしき映像が流れることもあり、今、わたしの前で映っている番組もそのたぐいのようだった。

外国人が二人並んでいて、右側にいる髭面《ひげづら》の男がマイクを持っている。インタビュアーらしかった。そして、わたしが釘付けになったのは、その左に座る男だった。

色黒の丸い顔で、目のくぼんだその顔は、皺がさらに増えたものの、あのインド出身の俳優に他ならなかった。「どうしたの、お母さん」と勇也が訊ねてくる。

わたしは高校時代とは異なり、簡単な英会話なら把握できるようになっていたから、今度は字幕に頼らずに済むぞ、と雑音混じりの音声に必死に耳を傾ける。昔の映像ではなく、今現在の、ミスターカメレオンへのインタビューらしくて、余計に驚いた。

「役者を引退して、田舎町に引っ込んで久しいですが」ようするにインタビュアーの彼が、俳優の大ファンで、世界が終わってしまう前に一度会いたいがあまり、カメラを持って、田舎町に押しかけた。そういう状況のようだった。電波の私的利用だ、と思うが、責める気持ちにもならない。

「俺は今、自給自足でのんびり暮らしているんだ。正直、押しかけられて迷惑だよ」とあの俳優はむすっと答えた。その低い喋《しやべ》り方は、わたしが憧れていた時と変わっておらず、嬉しかった。

インタビュアーはまずこう言った。「小惑星が落ちて、地球が終わるまであと二年半ほどです。今、どういう心境ですか」

その時の俳優の反応は信じられなかった。信じられない上に、馬鹿馬鹿しく、彼は本当に世間から離れていたのだな、ここまで徹底していたなんて偉いな、と感激した。感激のあまり、この俳優の言葉に唆《そそのか》され、人生の道筋を決めたわたし自身はもちろんのこと、これからぶつかってくる無礼な小惑星のことすら、許したくなった。

その俳優は、インタビュアーに対して、大変真剣な顔でこう答えた。「え、嘘？　小惑星？　マジで？」

知らなかったんですか、とインタビュアーがのけぞり、画面のこちら側のわたしものけぞった。

深海のポール

1

面白かったよ、と桜庭さんが言った。私はカウンターのこちら側で、ビデオテープを受け取り、バーコードの読み取り機を押し当て、「良かったです」と答える。

五日ほど前に、何か面白い映画はないかな、と訊《たず》ねられて薦めた映画だった。映画の好みというものは千差万別で、「大傑作」と信じる作品を推薦し、「面白味が分からなかったです」と苦々しい感想が返ってくることも少なくない。

「本当に面白かったよ。妻も喜んでいたし」

「そろそろ生まれる頃ですか」

「予定日は過ぎてるから、いつ来てもおかしくないね」

来ても、という表現が可笑《おか》しい。襲来するかのようだ。彼の奥さんは妊娠中だった。

「ずっと子供はできないものだと思っていたから」と桜庭さんは半年ほど前、照れ臭そうに言った。「正直なところ、小惑星のニュースよりびっくりした」

「臨月なのに、エイリアンとの肉弾戦とかそんな映画、貸してしまってすみません」今さらだが、申し訳なくなった。

「いや、本当に面白かった。妻は三回、僕が寝てる時にも観てたし」

「そんなに？」三回観るほどの映画でもなかったのではないか、とも思う。

桜庭さんはその後もしばらく店内を歩き回り、ビデオのパッケージを引っくり返し、粗筋を読んだり、最近の妻はオセロが強くて、と笑ったりした。彼もやはり、時間を持て余しているのかもしれない。あと二年ほどで小惑星が地球に衝突する、という状況で、「時間を持て余す」とは冗談にしか聞こえないが、でも、だからといってやるべきことがないのも確かだ。

「次のサッカーは来ます？」私は、桜庭さんに訊ねる。

「ボール蹴っている間に、陣痛が来た、となったら、怖いし、やめておくかも」

童顔で耳の大きい彼は、普段はとても穏やかで、年下の私にも気を遣う人だったが、草サッカーの際には、粘り強い動きを見せ、敵の守備をものともせずに点をもぎ取るフォワード選手に豹変する。

「前から一度訊《き》きたかったんだけど」桜庭さんはまたカウンターに歩み寄ってきた。

「渡部君って、いくつの時、この店をはじめたの」

「二十で前の店長から引き継いだんです。だから、七年前ですかね」

「二十で店長なんてすごい」

「いやあ、僕、十九の時に仙台に来て、最初にこの店でバイトしたんです。その時の店長さんが結構な年齢《とし》で、僕を気に入ってくれたのか、『欲しけりゃやるよ』って」私は笑う。冗談のような話だが、本当だった。「欲しけりゃやる、って玩具《おもちゃ》じゃないんですからね」

「そういう時に、よしやろう、と決断できるのが羨《うらや》ましい」優柔不断で困る、と自らを嘆く桜庭さんはしみじみ言う。

「いい加減なんですよ」私は下を向く。「すぐ決めちゃうんです。ビデオ屋やろう、とか、結婚しよう、とか」

「羨ましい。確か、娘さんが生まれたのは」

「ちょうど小惑星のニュースが出た、直後でしたよ」

「立ち入った質問かもしれないけれど、産もうか産むまいか、悩まなかった？」

「よく考えませんでした」

「羨ましい」

「でも、正直、ビデオなんて媒体がすでになくなってきて、利用者もずいぶん減りましたし、まさかすぐ、世界が終わっちゃうとは思いもしなかったですし、全部、外れてばっかりです」

2

「出た、出た。あ、パパ、お帰り」マンションの玄関を開けると、娘の未来《みらい》がばたばたと走ってくるところだった。

もうすぐ六歳になる彼女が持つ蠅《はえ》叩きは、ずいぶん大きく見えた。廊下をこちらに向かってきて、沓脱《くつぬ》ぎの手前で曲がり、洗面所に入っていく。

「あ、修《しゅう》ちゃん、お帰り」未来の跡を追ってきた妻の華子《はなこ》が、私に気づく。彼女は彼女で、右手にスプレー缶を持っていて、「未来、待って待って」と声を発しながら、洗面所に入っていった。

靴を脱ぎ、廊下に上がり、洗面所を覗《のぞ》く。「未来、スプレーにしよ、スプレーに」と華子が必死に、未来を説得していた。

例の虫が出たのだな、と私も察する。光沢のある、平たい、俊敏なあの虫が洗面所に出たのだろう。退治するつもりなのだ。

叩いてしまうと床や壁に虫が潰《つぶ》れてくっついてしまうため、華子はできる限り、物理的な攻撃を避け、化学的なスプレー攻撃を選択しようとする。蠅叩きと玩具の区別のつかない未来にとっては、何より道具を振り回すのが楽しみらしく、物理的攻撃が好きだった。

「未来、野蛮だから、こっち使おうよ」と華子が言っている。

殺虫スプレーのほうがよっぽど野蛮ではないだろうか、と私は疑問に思いながら、廊下を通り、居間に入る。ソファで寝転んでいる父の姿が目に飛び込んできた。紺色のTシャツを着て、白い短パンを穿《は》き、だらしない恰好《かっこう》で横になる父は、私をちらっと見た後で、「よお」とぶっきらぼうな挨拶をした。頬が瘦《こ》け、目が鋭い。七十を過ぎているが気力も体力も充実しており、私はいつも、彼が年上であることを忘れそうになる。

「おじいちゃん、やったよ」未来が戻ってきた。蝿叩きをぶんぶんと振り回している。

「そうか、やっつけたか」父が身体《からだ》を起き上がらせた。

華子もやってくる。「あの虫ってほんと、生命力強いよねー。死んでも死なないって感じ」

「死んでも死なない！　死んでも死なない！」未来は意味が分かってもいないだろうに、蝿叩きを揺すりながら、口ずさむように言った。

「たぶん、あれだぞ、隕石《いんせき》がぶつかってもな、あいつらだけは生き残るぞ。というよりも、あいつらが一斉に集まって、隕石にぶつかれば、押し返すことくらいできるんじゃねえか」父は歯を見せた。

「そんなの見るくらいなら、隕石がぶつかったほうがいいなあ」華子が苦笑する。

「未来、見たい、ゴキブリがたくさん集まって飛ぶところ見たい」と未来はおぞましいことを口にする。

「いい子にしてたら、見られるぞ」父がそんなことまで言う。私と華子は顔を見合わせて、眉《まゆ》をひそめた。

夕食は、鮭の缶詰を開けたものとレタスのサラダ、それと一膳ずつの飯《めし》だった。食卓に四人で座り、味わうように食べる。

台所からダイニングにかけ、段ボールを積んである。缶詰やレトルト食品などを詰め込んだものだ。六年ほど前に私と華子がスーパーマーケットで必死になって拾い集めた物や、去年になって、父と私が仙台港近くの倉庫に乗り込んで、手に入れてきた物だった。自分たちで物を盗んできて言うのも変だけれど、去年あたりから治安がずいぶん良くなってきている。不気味なくらいだった。

「お義父《とう》さん、櫓《やぐら》、もうそろそろですか？」華子が、父に訊ねた。「やぐらやぐら」と未来が嬉しそうに繰り返す。

「もうそろそろだな」父は白髪まじりの髭《ひげ》に囲まれた口をにっと広げた。鼻の穴が膨らむ。

父は二年前まで山形で暮らしていた。母は、私が高校生の頃に他界していたから、一人で生活すること自体は、父も慣れていたに違いない。終末に向かって世の中が騒然となっても、父はもともとトラブルがあればあるほど生き生きとする性格なので、私は心配していなかった。ただ、自棄《やけ》を起こした隣人が自分の家に火を放ち、それが文字通り飛び火して、父の家が燃えてしまったため、仕方がなく、仙台に呼んだのだ。

最初、「あんなにはた迷惑な人間とは、一緒に暮らしたくない」と私は主張した。ただ、妻の華子がしきりに、「呼んであげようよ、修ちゃん。絶対、お父さん、喜ぶって」と言うので、渋々、了承した。

妻の両親は、小惑星騒動の混乱がはじまった直後、デパート前の行列に並んでいた際に将棋倒しに巻き込まれ、呆気《あっけ》なく亡くなった。そのせいもあってか、「修ちゃんは、親がまだ生きてるんだから、親孝行をする義務があるんだって」という言葉には説得力があった。

「華子は一回しか、うちの父親に会ったことがないから、分からないだろうけど」

妻が、父と顔を合わせたのは、身内だけで行った結婚式の時だけだった。「あの父親は、親孝行されて喜ぶような、可愛らしい人物ではない」

華子は当然ながら、私のその言葉を冗談だと受け流していたが、同居をはじめて一ヶ月もしないうちに、私が正しかったことを認めた。「修ちゃんの言う通りだったね。変だ、あの人。可愛くないし」

　父がマンションの屋上に櫓を作りはじめたのは、仙台のこの、「ヒルズタウン」に来て、少し経ってからだ。私の店にある映画のビデオを勝手に観た後で、「隕石がぶつかると、洪水が来るらしいぞ」と言ってきた。

「ああ、そういう映画、あるね」と私も答えた。「だから？」

「仙台市街地や海辺はおろか、この小高い丘にできた町も、このマンションもきっと大津波に呑まれるに違いない。ここも海に呑まれて、深海になるだろうな」

「可能性はあるだろうね」その映画ならば、だいぶ前に観たことがあった。スクリーン越しにもかかわらず、小惑星衝突後の洪水の破壊力はぞっとするくらい強大だった。

「でな、やっぱり、最後まで洪水に呑まれたくはねえだろ。屋上に櫓でも作ろうかと思うんだよ、俺は」父は鼻を擦《こす》りながら、すでに勝ち誇った表情だった。「少しでも高いところに座って、みんなが波に呑み込まれていくのを、見物してやろうかと思ってな」

「とても有意義な考えだと思うよ」私は皮肉を込めて言ったのだけれど、彼は、「だろ。おまえもそう思うか」とうなずいた。

　それ以来、父は時間さえあれば屋上に行き、櫓を作っている。どこからか木材を見つけ、運び込み、鋸《のこぎり》やロープを駆使して、組み立てていた。

「希望するなら、おまえたちの座る場所も作ってやってもいいぞ」父はレタスを齧《かじ》った後で、言う。

「遠慮しておく」と私は即答する。

「だろうな」

「パパ、今日、ママがどこか行っちゃったよ」未来がフォークを食卓にぶつけながら、思い出したかのように言った。

「どこか行っちゃった？」意味が分からず、私は、華子に目をやった。すると彼女は少したじろいで、「内緒って言ったのにー」と未来の頭を撫でた。

「そうそう、内緒」未来が声を大きくする。「内緒で、どこかに行っちゃった」

「たまたま、一階の藤森さんと、出かけることになったんだよね」

「出かけるってどこに」藤森さんは、家族四人でマンションに留《とど》まっている、穏やかな婦人だった。

「大したところじゃないってば」と妻は言いつつ、それ以上の説明をしようとしなかった。その場ですぐに、「どこに、何をしに」としつこく問い質《ただ》せばいいのかもしれないが、追及するのは悪いな、と遠慮してしまった。こんなご時世でも、物分かりの良い、余裕のある態度を見せたかったのかもしれない。へえ、と言って、私は興味のないふりをした。

3

雨が二日つづいたため、地面のぬかるみが気になったのだけれど、河川敷のサッカー場は水はけも良く、いつも通りに試合をすることができた。三点先取したチームの勝ち、というルールで二試合をやった。

「よくもまあ、みんな集まるよな」私はグラウンド端のベンチに座っていたのだけれど、隣に座った土屋さんがそう言った。

「身体を動かしていると、何も考えずに済むから、ちょうどいいのかもしれないですね」私は答えた。「他にやることもないですし」

「半年以上経っても、人数が減っていないのが何となく、嬉しいな」土屋さんは、グラウンド周辺で休憩を取る他のメンバーを眺める。

去年の秋から定期的にやることになった草サッカーだったが、最初に参加したメンバーが今もずっと継続しているのは驚きでもあった。十二人で、六人対六人の試合ができる。今日は桜庭さんがいないため、五人対五人の試合で、一人が交代で審判をやることにしていた。とにかく、半年あまりをこのメンバーが生き残ったことは間違いない。

「土屋さん、高校のサッカー部で主将だったんですって？」私は以前、桜庭さんから聞いたことがあったので訊ねた。

「桜庭はお喋《しゃべ》りだ」と土屋さんは笑った。「意外だろ」

「納得ですよ。土屋さん、人望が厚そうですし」実際、草サッカーをやっている際も、ゴールキーパーの土屋さんには安定感があった。技術的にはもちろんのこと、口うるさく意見を主張することもないのに、精神的な支えになる。「あいつがいると、ほっとして、負ける試合なんてこの世にはないと思えたんだよ」と桜庭さんは言ったことがある。精神的な支柱だ、と言ってから、「精神的ポール」と中途半端な英訳をした。

土屋さんは顔をゆがませ、「人望も何もない。それに、頼られるのは苦手なんだ」と額の汗を拭く。「だいたい、ゴールキーパーってのは、基本的に味方に点を取ってもらわないと話にならないだろ。そういう意味では、頼りっぱなしだ。ペナルティエリアの内側でうろうろしているだけの俺には、味方が点を取りますように、と祈るしかない。だから、俺はあの言葉に親近感があるんだ」

「言葉？」

「人事を尽くして天命を待つ」

「味方のゴールは天命ですか」

「人事を尽くして隕石を待つ、でもいいか」土屋さんの言い方はどこか軽口を叩くのではなく、勇敢に立ち向かう物言いに近かった。

「そういう気持ちになれればいいですけど」私は言いつつ、土屋さんの横顔を眺めた。四角い輪郭に、彫りが深く、涼しげな目元が凛々《りり》しかった。

「俺は、死ぬことはそんなに怖くないんだ」と土屋さんがぽつりと言った。強がっている素振りはまるでなくて、グラウンドをじっと見つめる目には、劣勢の試合を楽しむ主将の貫禄すら浮かんでいた。「死ぬより怖いことはたくさんある」

「ああ」と私は言ったが、その真意が分かっていたわけではなかった。ただ、はっきりしていたのは、土屋さんの清々《すがすが》しい口ぶりに、嫌味や見栄がまるでないことだ。

「そういえば、渡部の親父さん、変わってるんだって？」土屋さんはふと思い出したかのように、言った。「富士夫に聞いたんだけど」富士夫、とは桜庭さんの名前だ。

「桜庭さん、お喋りですね。困った父なんですよ。マンションの屋上に櫓を作ってます」

「櫓？」

櫓を作って、誰よりも高いところから洪水を見物するらしいのだ、と説明する。「とにかく、変人です」

土屋さんはとても愉快そうにそれを聞き、「変人に育てられた渡部は、普通の青年だけどな」と言った。

「ああいう父親のようにはなるまい、と固く誓ってましたからね」実際、高校を卒業すると同時に、目的も当てもないのに仙台に出てきて、一人暮らしをはじめたのは、このまま父親と同居していると彼の影響から逃れられなくなるぞ、と危機感を抱いたからだった。

一人、また一人とグラウンドに戻り、ボールを蹴りはじめる。パスを繰り返し、シュートをする。

試合が終わると休憩をし、体力の回復したものから思い思いに動きはじめる。そして、そろそろはじめるか、という雰囲気になりはじめたところで、また試合を開始する。じゃんけんでチームを変更することもあれば、「さっきの試合のリターンマッチがしたい」と同じメンバーでやり直すこともある。いつもそんな具合だった。成り行き任せの気分次第、曖昧《あいまい》な遊び方ではあったけれど、そのやり方が心地よかった。

「小惑星が落ちた時って、死ぬ時って、どんな感じなんでしょうね」私はふと、訊ねていた。土屋さんはグラウンドに浮かぶ蜃気楼でも眺めるような顔つきで、「あっという間じゃないかな」と言った。「びっくりするだろうけど、きっと、あっという間に意識がなくなっているかもしれないな。たぶん、死んだ、とも気づかないよ」

「それは嫌です」私は本心からそう答える。

「嫌？」

「自分が何にも考えられなくなるのが怖いんですよ。たとえば、あ、死んだ、とかそういうことすら考えられなくなるんですよね？　それは怖いし、嫌です」

「そうかあ」土屋さんは、背後にゴールを背負った時と同様に、安心感を漂わせている。そのせい、というわけでもないだろうが、私は気づくと、「そういえば、昔、死にたいと思った時期もありましたけど」と白状した。

土屋さんは無言で、私を見た。

「よくある理由なんですけどね」私は問われたわけでもないのに話しはじめる。「中学生の時ですよ。クラスで同級生が苛《いじ》めに遭ってたんですよ。よくある感じで」

「ああ」土屋さんは苦々しく、顔をゆがめた。「子供も大人も、苛めたり、苛められたり、そんなことばっかりだよな」

「はじめのうちは見て見ぬふりをしていたんですよね。何かちょっかいを出すと、僕がとばっちりを受けそうじゃないですか」私はこめかみを掻《か》く。「ただ、ある時、気まぐれだったんですかね、罪悪感に駆られたのか、その同級生を庇《かば》ったんですよ。血迷って」

「とばっちりを食らったわけだ」土屋さんは目を細めた。

「案の定、ですよ。ようするに、誰でもいいんですよね、ああいうのは」

「それで死にたくなったわけだ」

「結構、酷《ひど》かったですからね」詳細を話すつもりはなかったし、わざわざ思い出したくもなかった。私は舌をげえっと出してみせる。「こんなにつらいんだったら、死んだほうがいいんじゃないか、と思って」

「でも、死ななかった」

「土屋さんなら、何て答えます？　どうして死んだらいけないんだ、って言われたら」

「誰に」

「たとえば、子供に」と私が言うと、土屋さんは一瞬困惑の表情を浮かべ、それから、どういうわけか嬉しそうに、「うちの息子は絶対にそんなことは言わないだろうな」と目尻に皺《しわ》を作った。

私はその意味が理解できず、どう反応したものか、と動揺した。

「まあ、でも仮にそう質問されたら面倒だろうな。どうして人を殺したら駄目なのか、という質問より面倒だ。自分の命は自分の好きにしていいじゃないか、と主張されるんだろ」

「面倒ですよね」私も同意する。「でも、そのまさに面倒臭い質問を、十代の僕は親にぶつけたんですよ」

その頃はまだ母親も健在だった。彼女は、私の告白を聞くと、おいおいと泣き、おまえは偉いよ、そんなの苛めてくる奴が悪いに決まってるよ、と正論を吐き、「わたしが、そいつらを殺してやるから、おまえは死んじゃ駄目だ」と無茶なことを訴えもした。

「それは心強い意見だなあ」土屋さんは唇を横に広げ、大らかに言った。「感動的だ」

「まあ、感動もしましたけど、正直、そんなわけにいかないだろう、と冷めてましたね」

「親父さんは何と言った？」

「あの人は本当に変ですからね。まずはいきなり、僕のことを殴り飛ばしましたよ。今まで、直接、暴力を振るわれたことはなかったんですけど、その時、はじめて思い切り殴られて」

畳に転がった私を見下ろした父は、「自殺しちゃいけねえ理由なんて、知らねえよ、ばーか」と胸を張って、吐き捨てた。そして、「とにかく、絶対、死ぬんじゃねえぞ」と述べた。「あのな、恐る恐る人生の山を登ってきて、つらいし怖いし、疲れたから、もと来た道をそろそろ帰ろうかな、なんてことは無理なんだよ」父は口角泡を飛ばした。

「登るしかねえだろうが」

「登る意味があるとは思えないんだって」

「何様なんだよ、おまえは。俺は、登ったらどうですか、なんてことを言ってるんじゃねえんだよ。登れる限りは登れって命令してるんだ。それにな、たぶん、登り切ったらな、山の頂上からの景色はきっと格別だぞ」

「人生を山に譬《たと》えるのは、陳腐だ」

父はまるで怯《ひる》まなかった。「いいか、俺は理由なんて知らねえけどな、とにかく、自殺なんてしたら、ぶっ殺すからな」とすでに矛盾を通り越して、はちゃめちゃとしか思えない台詞《せりふ》を吐いた。

「やっぱり変だな」土屋さんが嬉しそうにうなずいた。「で、渡部は死ななかったというわけか」

「親の言葉にほだされたわけではなくて、単に、死ぬ勇気がなかったんですよね」

「俺はさ」土屋さんはそこで腰を上げた。砂を払いながら、「みんなには悪いんだが、世界の終わりがありがたくてしょうがないんだ」と言った。

「な、何でですか」私が訊ねるが、彼はそれには答えず、ただ、「生きられる限り、みっともなくてもいいから生き続けるのが、我が家の方針だ」とだけ言った。

もちろん私には意味が分からない。

「渡部の親父さんの言葉は鋭いよ。『光あるうち光の中を歩め』っていう小説があるだろ。あれを真似れば、『生きる道があるかぎり、生きろ』ってことだ」

「どういうことですか」

「死に物狂いで生きるのは、権利じゃなくて、義務だ」

「義務」と私はその言葉を反芻《はんすう》してみる。

「そう。だからみんな、他人を殺してでも生き延びようとする。自分だけでも助かりたいってな。醜く生きるわけだ、俺たちは」

「醜くですか」

「他人を蹴落としても、無我夢中で生きるわけだ」

私は顔をしかめた。「気の利いた言葉かな、と思ったら、何だか嫌な、生々しい話ですね」

「そりゃ、そうだ。これは嫌な、生々しい話なんだ」

そのうちに試合が再開される。私と土屋さんは同じチームだった。キックオフから十分ほどして、ハーフウェイラインのあたりでボールを受けた私は、ドリブルで敵を二人かわして、決勝点を決めた。どんな草サッカーであっても、あの、自分の蹴ったボールがゴールに飛び込んでいくのを見る瞬間は幸せだ。時間の流れがゆっくりとなって、軌道がはっきりと見える。

勝った、勝った、と引き上げる際、土屋さんが近寄ってきて、「渡部が中学で死んでたら、今の決勝点はなかった」と嬉しそうに肩を叩いた。「良かったよ」

ですね、と私も笑う。

4

「すごいな、これ」久々に屋上に上がり、父の作っている櫓を見た。周囲には、木の切れ端や釘が散乱し、大きさの違う鋸が三本、あった。かなり大きな物だった。縦横《たてよこ》二メートルほどの敷地に、四つの木材を脚にして、櫓は作られている。脚と脚の間には筋交《すじか》いが組まれていた。

見上げると、父はすでに十メートルはあるのではないか、という高さのところで、綱を柱にくくりつけている。

昔から父はこういった作業が得意だった。日曜大工だ、と言っては平日に仕事を休み、家で材木を切り、釘を打った。いつもは大雑把で、抽象的な物言いが多い彼も、木工作業に関しては几帳面に計算をする。そのことが昔から私には、不思議だった。

五分ほど眺めていると、「おお、いたのか」と父が降りてくる。階段が設置されているわけでもなく、筋交いを器用に踏みながら、リズム良く、降りた。

「最終的には、梯子《はしご》をつけるから、安心しろよ」と父は親指で櫓を指差しながら、にっと笑う。

「安心も何も」と私は曖昧に答える。「父さんが好きにやればいい」

「まあな」

私たちは、父が横に積んだ材木の上に並んで腰を下ろした。

「珍しいな。修一《しゅういち》がここに来るなんて」

「作りつづけてるのは、本当に偉いよ」

「これしかやることがねえんだから、しょうがねえだろ」父は謙遜《けんそん》するというよりも、愚痴《ぐち》を吐き出すかのようだった。マンションの屋上は、ぐるっとフェンスで囲まれていて、材木に座った私たちからはその網越しの景色しか見えない。

「櫓ができたら、見晴らしいいぞ」父は偉そうだった。

「でもさ、こんな高さまで洪水とか来るのかな、本当に」

「ここは深海だよ、深海に沈む」と父は鼻を膨らませ、断定する。フェンスの上に浮かぶ、白くかすれた雲を見ている。「店はどうした」

「これから開ける。今、サッカーしてきたんだ」河川敷のグラウンドで、昔の話をしたら、何だか懐かしくなって、思い出話でもしようかと思ったのだ、とは絶対に言いたくなかった。「それにしても、父さんは怖がってないな」

「何がだ」

「死ぬのをだよ。六年前、小惑星の衝突が分かった時から首尾一貫して、父さんは怯《おび》えてない」

「まあな」

「俺が自殺したいって言ったら、やたら怒ったくせに、今は何も言わない」

「今は、逃げようがねえんだから、どうしようもねえだろ」

「理屈になってるのか、なってないのか分からないよ」私は肩をすくめる。「でも、父さんには怖かったこととかないわけ？」

「ある」あまりにすぐに答えが返ってきたので、私は真横を向いて、彼の目を見つめた。

「嘘、いつ？」

「そりゃ、あれだ」父にしては珍しく、少し言いよどみ、後頭部を触る。眉をひそめ、苦しげに、「政子《まさこ》がほら、変な会合に参加した時だ」と言った。

「あれ、怖かったんだ？」

「当たり前だろうが」

その時のことは私もよく覚えていた。私が高校の一年生の頃だ。私の自殺問題が終わり、母が事故死をするちょうど合間ともいえる時で、そう考えれば我が家には平穏な時期がほとんどなかったな、とも思う。

実家のあった山形市内で、奇妙な宗教団体が流行った時があった。その団体には、伝統的な信仰なら備えているはずと思われる、厳《おごそ》かさや謙虚さが決定的に不足していて、勇ましいメッセージを団体主宰者が叫び、それを信者たちがありがたく拝聴し、グッズを購入し、結束を固めるための集会を開いてばかり、というものだった。

法律に違反していない、という理由だけで放置されてはいたけれど、やはり不気味に感じ、警戒を強める住人は多かった。「汗をかいて働かねえから、よけいなことに騙《だま》されるんだ」と父ははなから馬鹿にしていた。

けれど、その集会に母が参加していることが判明すると、父は怒った。

「怒ったんじゃねえよ、驚いたんだ」今、私の横にいる父は打ち明ける。「本当に、怖かった」

「でも、父さんは乗り込んでいった」

「怖かったからな」

月に二回、市の管理するホールを使い、その団体の集会は開かれていた。午後の一時から夕方六時まで、私たちには理解できない、熱狂的な会合が催されるわけだ。

その日、私と父は、こっそりと母の跡をつけた。「おまえも一緒に来い」と私は半ば強制的に、付き合わされたのだけれど、それでも、タクシーから降りた母が体育館のような施設に入っていくのを目の当たりにし、やはりたじろいだ。

「こういうところに来る奴らはどういう奴なんだ？」父が、私に物を訊ねてくるのは珍しかったと思う。

「生きることが不安だったり、怖かったり、嫌になったり、そういう人じゃないの」

「政子がそうだって言うのか」

「もしくは夫に悩まされてる人だろ」

「俺がいつ、あいつを悩ませたんだ」

「いつ、じゃない。いつも、だって」私は呆れつつ言ったが、そうしている間にも父は、ずんずんと足を進め、建物に向かっていく。慌てて、跡を追う。

すでに集会ははじまっていた。開いている扉から中を覗き込むと、館内にはパイプ椅子がずらっと並び、千人ほどの人々が腰を下ろしていた。静まり返った様子に、私は恐怖すら感じた。異様な圧迫感があった。高齢の男女や、中年の婦人たちが多い。統率され、陶酔し、明らかに朦朧《もうろう》としている。

ここに母がいるのか、と当惑していると、父が中に踏み込んだ。呼び止める間もなく、土足のまま、中に入っていく。

「みんなが、父さんに驚いて、ざわついた。よく、躊躇《ちゅうちょ》しなかったよね」

「するかよ、あんなの。あそこにいる奴らが怒って飛びかかってきたって、俺は怖くねえよ。実際、壇上で誰か怒ってる奴とかいたけどな。俺にとっちゃ、政子が俺の分からない誰かになっちまうことのほうがよっぽど怖かった。ああいう奴らは、山に登るのが嫌になって、迂回《うかい》しようとする弱腰ばっかりなんだよ。とにかく登るしかねえのに、降りたがる。そんな奴ら怖くねえよ」

「人生を山に譬えるのは、陳腐だ」

その時の父は、大勢の座る椅子を掻き分け、どうやって位置を特定したのか分からないが、母の座っている場所まで辿《たど》り着くと、彼女の手をつかみ、引き摺《ず》った。信者と思《おぼ》しき者たちが叱責の声を発し、注意を与えたが、父は気にすることもない。「俺の政子を妙なことに巻き込むな」と怒鳴ると、私のところまで戻ってきた。

母は驚きと照れ臭さと混乱のせいか、ぼんやりしていた。何が何やら分からないという様子で、父に引っ張られるがまま、裸足で外に出る。

「あんな妙な団体、どこがいいんだ」父が眉を吊り上げ、怒った。

「こんな妙な夫、どこがいいんだ」隣にいる私がすぐに言うと、そこでようやく、母が笑った。

「母さん、あの後、何て言ってたわけ」私は、家に連れ帰った後の父と母のやり取りについては知らなかった。知っているのは、それ以降、母がその集会には参加しなくなったことだけだ。

「呆れてたなあ。『おまえが行くなら毎回、俺が連れ戻しに行くからな』って脅したら、それも面倒ね、とか言ってな。それきりだ」

「良かったのか悪かったのか」

母は結局、その一年後、交通事故で亡くなった。集会に通いつづけていたほうが彼女にとって幸せだったのかどうかは分からない。

屋上から立ち去ろうとしたところで、ふと思いつき、意地悪をするつもりでもなかったのだけれど、「母さんが亡くなった時、どう思った?」と訊ねた。「母さんがあの集会に行った時は怖かったんだろ。死んだ時はどうだったわけ」

父は怒りもしなければ、困惑もしなかった。落ちている材木に手をやりながら、「あのなあ」と言った。「おまえには言ってなかったけどな、俺の一番大事な人間は政子だったんだよ」

私が特に返事もせずに、立っていると、父はさらにこちらに指を向け、「息子のおまえよりも、だよ」と口元をほころばせた。「怒ったか?」

いいと思います。私はそう返事をする。

5

「何やってるんですか」と言われ、前に客がいることに気づいた。レジの前に立ってはいたものの、端末に出てきたリストをメモ帳に書き写していたので気がつかなかった。

「ああ、こんにちは」私は店内の時計を見て、まだ、午後の三時であることを確認してから、挨拶をする。同じマンションに住んでいる、私よりも一歳年上の女性だ。

「この間のやつは、まだ戻ってこないんですよ」と私は言う。彼女が借りに来た、子供向けのヒーロードラマの最終巻がレンタル中なのだ。

「あれはもういいの」彼女は笑い、これ、とビデオの箱を差し出してきた。十年ほど前に話題になったサスペンス映画だった。「久しぶりに観たくなって」

「これ、傑作ですよね」端末を操作した後で、代金を受け取る。

「それ、延滞者リスト？」彼女の視線が、私の手元に向いていた。顔をほころばせている。

「ええ」

彼女がこの店に来た時に、延滞料金の話になった。そのことが頭に残っていたのか、何年ぶりかに延滞者リストを出してみることにしたのだ。「かなりの数、います」

「延滞料回収したら、長者になれる？」

「見覚えのある名前ばっかりです」六年前まで通常通りに営業をしていた時は、毎朝、開店する前にこの延滞者リストを出すことが最初の業務だった。ずらっと並ぶ一覧に溜め息をつきながら、上から順に電話をかける。早く返却してください、と要求したり、留守番電話に向かって催促のメッセージを残したり、あまり愉快とは思えない作業だ。

「性格なんですかね。延滞する人って、だいたい決まってるんですよ」私はリストを指でなぞりながら、言う。

「そんな気しますね」と彼女が笑う。

「僕のほうから何度も電話をしてるのに、『早く言ってくれよ』と怒ったり、『また借りるから、見逃してくれ』とか交渉したり、いろんな人がいるんですよ」

中でも納得がいかないのは延滞料金を払いにやってきた客がその足で、「せっかくだから、これを借りて帰ろうかな」と新作コーナーのビデオを差し出し、「一泊二日で」と借りていくことだった。口にこそ出さないが、「あんた、絶対、明日返せないって」と私はよく思った。「頼むから、自分を過信しないでくれ」と。案の定、彼らは翌日、返却に来ない。そして、延滞者リストにまた載る。私が催促の電話をかける。彼らは不機嫌になる。そんな繰り返しが、今となっては懐かしい。

「蔦原《つたはら》って、あの蔦原君かな」と彼女がリストを向こうから眺めて、指を出した。

上から十番目くらいに位置した名前だ。延滞は十年前から、となっている。私がここに勤める前だ。『東京物語』と『帝都物語』という、一貫性があるのかないのか、類似しているのかしていないのか判然としない、二本のビデオを借りたままだ。

「知り合いですか？」

「高校の同級生のような気がする。名前珍しいし」彼女は昔を懐かしむようだ。「お父さんがね、すごく気難しそうで、確か、警察官とか、そういう人だったような」と記憶を辿っている。「で、蔦原君、家庭内暴力っていうの？　何か暴れたりして、学校で話題だった。結局、退学しちゃって」そして彼女はもう一度、リストを眺め、「あ、そうそう、蔦原君、こんな名前だったと思う。蔦原耕一《こういち》。これ、借りて、それきりになっちゃったのかな」と言った。「それきり」とは抽象的な言葉ではあったけれど、私は、「ですね」と応じた。

「うちなんて、わたしが女優になりたいって言ったら、『好きにすればいい』なんていう、手綱《たづな》の緩い両親だったけど」

「いろんな親がいるもんですね」私は返事をしつつ、そのリストをもう一度見やる。

「今も、ここに住んでるんですかね」

「さすがにいないかも。延滞料を徴収に行くんですか」

「長者への道を」

彼女が立ち去った後、ヒルズタウン近郊の町まで掲載された住宅地図を開いてみた。蔦原耕一の住所がどこを指すのかを確認する。訪れてみようか、と思ったのは、単に暇だったからだ。

店を閉め、外に出て、公園を横切ろうとしたところで華子の姿を見つけた。町内の歩道を女性と一緒に歩いていたのだ。見覚えがある中年の婦人で、確かあれが藤森さんだったな、と思う。華子は小柄で、年齢よりもずっと若く見られることが多く、場合によっては子供と間違われることすらあったのだけれど、年上の藤森さんと並ぶと、親子にも見えた。

跡をつけた。蔦原耕一の家に行くには、右手の大通りを目指すべきだったが、妻の華子たちが進んでいった道に折れていた。「ママがどこか行っちゃった」と未来が言っていたのも、頭に残っていた。未来の姿はないから父にでも預けたのだろう。

彼女たちは下り坂で速度を緩めるために、後ろに傾くような恰好になっていた。私は距離を空けていたが、一本道だったので、見失うことはなかった。そのうち坂が終わると、少し開けた場所に出る。車道を挟んで向こう側に、広い敷地と建物があった。市民センターか、と私は気づく。仙台にやってきた頃、最初に住んだアパートがこの周辺だった。利用したことはなかったが、小さなホールを備えた市民センターがそこにあったのは覚えていた。

華子たちは市民センターへと真っ直ぐ、向かっていく。私は電柱の脇で立ち止まった。後ろから、歩いてきた男性にぶつかられる。謝罪してどくと、その前髪を垂らした中年男は、私を睨《にら》みつけた後で、足早に先へ進んだ。

しばらくその場に、立ち尽くす。周囲に目をやると、道のあちこちから、人々が集まってくるのが見えた。ロックバンドのライブの開演前に、会場に人々が集まってくるのと似ていた。疎《まば》らながら、まだこれほどたくさんの人が町に残っていたのか、と私は驚く。

　小さな階段を昇り、市民センターへ消えていく。いったい何の集まりなのか、と疑問に感じ、しかも、自分の妻がその中の一員なのだから気が気ではなく、ちょうど通りかかった腰の曲がった女性に、「あの」と声をかけた。

「あそこで今日、何かありましたっけ？」さも、うっかり忘れただけだ、といわんばかりに訊ねた。

「方舟《はこぶね》」彼女は口元に皺を浮かべた。笑ったのか、怒ったのか、不機嫌になったのかどうかも判然としない表情で、私は愛想笑いをするのもためらわれて、「方舟？」と素直に聞き返した。

「選ばれた人だけシェルターに連れていってくれる、って」

　言われてみれば、うちの店にやってきた男がそんなことを説明していた。その時は、以前に世間を賑《にぎ》わせた、強引な訪問販売や信仰の押し売りのたぐいだと思い、それこそ、母が勧誘されたあの怪しげな団体に似ているな、と感じる程度で、すぐに追い払った。

「シェルターなんて、あるんですか？」

「なければ、みんな死んじゃうさ」腰の曲がった彼女は、あんた死にたいのか、と詰め寄ってくるようでもある。

私は息を吐き、もう一度、市民センターを見る。華子がどうして、と自分自身に問いかける。

6

「まさか、そんなことで来るとはね」蔦原耕一は玄関のところで私を迎え、用件を聞いた後で言った。あまり表情に変化のない、白けた顔つきではあった。まだ、ここに住んでいたんですね、と私は感心した。

「それ、借りたの、十年前だぞ」私より、一歳年上の彼は、私の見せたリストを指差した。「今頃になって、回収に来るのって、遅くないか？」

「しつこいレンタルビデオ店、というのを売りにしようかと思って。ビデオ、ありますか？」

「俺がもうここに住んでいなかったらどうしたんだよ」

「ラッキーでした」

蔦原耕一の家は古い木造家屋で、屋根には瓦が並ぶ。玄関には靴がいくつかひっくり返っている。傘立てにビニールの傘が三本、ささっていた。

「ご家族は？」

「今は俺一人だよ」蔦原耕一は言った。

「お父さんが警察官だと聞きました」

「そうそう。仕事一筋の刑事」蔦原は言って、「今はもう死んじまったし、誰もいないよ」と顔をしかめた。「上がるか？」

「え」

「ビデオ、探せば出てくるかもしれねえし」

「あるんですか？」

「自分で回収に来ておいて、そんな言い草はないだろ」蔦原耕一はむすっとしたまま言うと、奥へと行く。

慌てて靴を脱ぎ、家に上がり、蔦原の跡を追った。みし、みし、と足で踏むたびに床が軋《きし》む。短い廊下の先に洋間と和室があった。蔦原につづき、和室に入る。

荷物が散乱していた。いくつもの段ボール箱が開き、転がっている。書類や本、アルバムが畳の上にあった。

「引っ越しですか？」

「隕石の落ちてこないアパートに？」と蔦原は言ってから、「ねえよ、そんなところ」と吐き捨てた。目が充血し、瞼《まぶた》が腫《は》れぼったい。「昔さ、試験勉強をしなきゃいけない時に限って、部屋のごみが気になって、掃除をはじめたら、大掃除になったってことない？」

「あるかも」私は笑う。

「それと同じでさ、不意に片付けはじめたら、止まらなくなった。最初は俺の部屋をやったんだ」と彼は二階を指差す。「俺さ、部屋にこもってたんだよな。四年くらい」

私は居場所なく立ったまま、部屋を見渡す。襖《ふすま》は誰かが蹴った跡なのか、破けていて、天井にも穴が開いている。

「それは俺がやった」蔦原は天井を指差した。「家庭内暴力ってやつ。甘えてたのかもな。でも、こっちは俺じゃない。誰かだ」と襖や障子に指を向けた。言いながらも彼は、段ボールの中を覗き込んでいる。

「誰か？」

「三年前かな。集団が乗り込んできたんだ、ここに。俺の親父、警察官でさ、恨みを買ってたんだろうな」蔦原の顔には大きな表情の変化はなかった。どちらかといえば仏頂面だ。「街とか、ずっと治安が悪かっただろ。他の警官が逃げても、親父はどうにかそういう混乱を収めようと必死だったらしい。拳銃を使ったり、暴漢を柔道で投げたりとか、いろいろ頑張ったんだってさ。職務を果たそうとしたんだろうな」

「それで逆恨みを受けたんですか」それはひどいな、と私は思いつつ、ここ数年はそんなことばっかりだったな、と思い出す。

「親父、部屋に閉じこもった息子も救い出せなかったくせにな」

「そもそも、どうして部屋に？」

「親父が無愛想で、いつも怒ってたんだよ。怖くて、俺は顔色ばっかり窺《うかが》ってた。殴られてばっかりで。むかつくし」

それから彼は、自分が暴力を働いたがために、母親は十年前から九州の実家へ帰ってしまい、音信不通であることも話してくれる。愛想はないし、迷惑そうな態度ではいるけれど、蔦原は蔦原で私の来訪を喜んでくれている節を、感じた。

「お父さん、厳しい人だったんですね」私は、蔦原の思いの周辺をなぞるような気持ちで曖昧に相槌《あいづち》を打つ。

「ただ」彼が言った。「この間、部屋を片付けていたら」

「どうしたんですか？」

「面白いものを見つけたんだ」

言って彼は足元に転がるビニール袋の中から、これだったかな、これかな、と選別するようにしてテープを取り出した。

「『東京物語』ですか？」私は自分の訪問目的を口にする。

「そうじゃない」彼はあっさりと否定した。「昔の親父のビデオで」

「なるほど、それはいいですね」私は言いながら、そのビニール袋の中に、うちの店のビデオもあればもっといいですね、と思った。

彼は足の踏み場に気をつけながら、和室の隅にあるテレビに寄って、電源をつけた。ビデオデッキにテープを入れる。「俺が生まれる前の映像だと思うんだ。お袋がビデオカメラを回して、親父を撮ってて」

「ホームビデオというやつですか」

「そうそう。で、小さな部屋でさ、親父がずっと辞典を見ながら、紙にこちゃこちゃいろいろ書いてるんだ。カメラを嫌がって、照れてたんだろうな、あんな親父の顔、はじめて見た。答案を隠す高校生みたいでさ。若いんだ」

私は、これから観る映画の粗筋を事前に聞かされる思いでもあったのだけれど、若い頃の父親の映像を見つけた蔦原の思いを想像し、同時に、自分の父のことを連想した。

ビデオの再生を押したところで蔦原は、「その映像、親父が俺の名前、決めてるところだったんだ」と言った。

「え？」

「画数調べて、漢字を紙に書いてた。お袋が、からかってカメラで撮ってたんだな」

私は肩から力が抜け、「そうですかあ」と声を出していた。

「俺の名前とかさ、そうやって一生懸命考えてくれた時があったんだな、って思ったら、不思議な感じだったな」と蔦原は言って、そして、私の隣に並んで、テレビと向き合った。

「不思議な感じでしたか」

　嬉しかった、でもなければ、驚いた、でもなく、ただ、不思議だった、と彼は繰り返す。いい話を聞いたな、と私は思い、帰ったら華子に教えてあげよう、と考える。

　ようやくテレビに映像が映った。すると画面では、裸になった男女が恥ずかしさと愉快さを撒《ま》き散らしながら、声を上げ、絡み合っていた。画面いっぱいに肌色が蠢《うごめ》くようだった。十秒ほど私と蔦原はそれを眺めた。

「これ、違いますよね」と私が言う。「アダルトビデオです」

「どこに行ったんだっけな」蔦原は慌てることもなく、のんびりと言って、またビニール袋を覗きはじめる。「俺、すごく感動したんだ」

「だと思います」と言いながら私は、依然として喘《あえ》ぎ声を流しつづけるアダルトビデオを見つめて、苦笑する。

「じゃあ、これ」玄関で蔦原は、ビデオテープの入った袋を寄越してくれた。私の店の名前が書かれた袋だ。

「よく、ありましたね」私はその中をあらため、背に、映画のタイトルのシールが貼られているのを確認した。私は自然と、彼の立つ後ろに目をやっていた。彼以外に住人はいないはずなのに、和室に誰かがいるようなそんな気配を感じた。おそらく先ほど蔦原から聞いた、「画数を検討する」父の話が頭に強く残っていて、だから、今でもその父親がこの家の中にいるような思いになったからかもしれない。

「親父が死んだ時、俺は最初、居間にいたんだけどさ」

「部屋に閉じこもっていたんじゃなくて？」

「もうその時は、そういうのはやめてたんだ。ただ、玄関から何人か男たちが飛び込んできて、慌てて俺は、二階に逃げた。で、親父が一人で闘ったんだ」

私には、自分の立つこの三和土《たたき》に暴漢たちが押し入り、彼の父に襲いかかる場面がはっきりと目に浮かんだ。暴漢たちが、皮膚から熱を発散させ、目を充血させて、鼻の穴を開き、口からは涎《よだれ》を垂らし、武器を振り回す。彼らがなぜ蔦原の父を襲ったのか、その本当の理由が、私には想像できた。

怖かったからだ。世界の終末が恐ろしくて仕方がない。怯えて、恐怖に打ち震える自分たちを認めたくないために、もっと怖がる人間を探していたのだろう。誰かを襲い、自分のほうが強いことを実感し、安心を得たかったのかもしれない。ようするに、中学時代に私を苛めてきた同級生たちと同じ心理だ。

「二階の部屋にいると、親父が下から怒鳴ってるんだ。『出てくるな、こっちは大丈夫だ』って」蔦原は、私を見ているもののすでに視線は合っていないようでもあった。

「出て行くも何も、俺、怖くて立てなかったしよ」と自分の足元を見た。かと思うと、鼻を慌ただしく手で擦り、瞼から頬を指で触れた。「それから、『頑張って、とにかく、生きろ』って最後、言ってたな」

「とにかく生きろ？」

「とにかく」と彼はまた同じ言葉を、先ほどよりは若干、力強く繰り返す。「生きろ」かけるべき言葉が浮かばず、返事を探しながら、彼と向き合っていた。

「物音が聞こえなくなって、ゆっくり一階に下りていったら、親父は胸に包丁が刺さったまま仰向けになってた。手にはスキー板があってさ、武器なんてねえから、あれで応戦してたんだろうなあ」と言う。「生きろも何も、世界が終わっちゃうのにな」

「でも、気持ちは分かります」

延滞料金は一応計算したのですが、端数を切り捨てて、ぴったり百万円でいいですよ、とためしに言うと彼は目を丸くした。「本気かよ」

「一度言ってみたかっただけです」

玄関から出る私に彼は、最後、「今度、店に行くよ」と言った。「泣ける映画とか、薦めてくれよ」と。

「もう泣いてるじゃないですか」私は、彼の目のあたりを指差した。

帰り道にまた、市民センターに立ち寄る。はっきりとした意思を持って、「行こう」と思ったわけではなく、足が自然と向いていていたのだ。

7

夕方を過ぎ、すでに日は西へと傾いている。市内でも高台にあるヒルズタウンが、夕日で赤く照らされはじめていた。

公園脇の道をマンションとは逆方向へと曲がり、気づくと数時間前に通った道を戻り、市民センターの敷地に到着していた。

車道を渡り、小さな階段を上がり、施設の入り口に近づく。看板が立っていた。素っ気ない団体名と、「活動報告会」という文字がある。窓口は無人だったので、私は中に入ることにした。下足箱があった。履き替えるためのスリッパが十足ほど散乱していた。私は靴を脱がず、明るい灰色をした床を歩き、先へ進む。

ずいぶん片付いているな、と感じた。一時期の町の混乱を思えば、こういった公共の場所が荒らされていないはずがない。おそらく、ここを利用する者たちが、つまり今ここを利用している団体が整えたのだろう。床も壁も同じような色の、無機質な素材だったから、私は昔観た映画の、宇宙船の内部を想像した。細い通路の、先が窺いしれない不気味さも、似ていた。

「ここに集まったみなさんは、理性的に、論理的に、状況に対処される方々だと思っております」

マイクで喋る人の声が聞こえてきた。突き当たりの壁に窓がある。透明であるため中を覗くことができた。左手にはドアもあり、そこから中に入るらしい。

窓から見ると、小さな体育館のような空間にパイプ椅子が並び、右前方を見つめていた。その先には長い机が連なっていて、スーツ姿の男女が腰を下ろし、向き合っている。主宰者側の人間だろう。以前、参加したことのある、町内の工事に関する住民説明会のような、そんな光景に近い。

右手の長い机の前で起立し、マイクを握る男が目に入った。眼鏡をかけ、私と同年代と思《おぼ》しき彼は鼻筋が通り、顔立ちが整っている。

その彼が話をつづけている。「目の前にある現実から目を逸《そ》らさないでください。冷静に、もっとも大切なことを考えることです」であるとか、「小惑星が落ちてきて、地球上のすべてが破壊される確率は、実は高くないんです。最初の二週間を生き残ることができれば、助かる可能性はぐんと上がります」であるとか、はたまた、「こう言わざるを得ないのは残念なことですが、世の中には人間が増えすぎました。文化を築き、科学を推し進め、戦争や病気、ありとあらゆる不幸を減らすことに努力してきた私たちは、結局、淘汰《とうた》の機会を失ってしまいました。この小惑星の衝突は残るべき人間にとっては絶好の機会とも言えるでしょう。選ばれた者が、よりよく生活をするために、環境を作りなおすわけです」であるとか、そういった内容の言葉を力強く、つづけた。

私はどこかで目撃したことのある光景だな、耳にしたことのあるメッセージだな、と思ったが、すぐに、高校時代に母が参加していた集会で聞いたのだ、と分かる。

「ここにいるみなさんは、選ばれようとしています。みなさんを騙したくはないので、正直に申し上げますが、全員が選ばれるわけではありません。全国で条件を満たした方たちだけが、シェルターに潜り、新しい世界を作る責務を背負うわけです」

全国規模でこんな集会が開かれているのか。椅子に座る者たちの表情を、端から眺めた。全員が全員、神妙な面持ちで前方のマイクを握る男を見つめている。背筋が伸び、目も逸らさず、面接を受けている最中にも見えた。選択されるのは自分である、と信じているのか、もしくは、騒ぎ立てた途端に選択されないと知っているのか、不平を洩《も》らす者は皆無だった。

私はしばらくその集会の模様を眺めていた。興味があったわけではなく、ただ、ぼんやりとしていた。華子がここにいるのか、と奇妙な感覚にもなる。なぜ、という疑問と寂しさが身体を包んだ。頭に、蔦原の父のことが過《よ》ぎった。突然やってきた、武器を持った人間と、スキー板で戦い、息子に、「こっちは大丈夫だ。とにかく、生きろ」と怒

「生きられる限り、みっともなくてもいいから生き続けるのが、我が家の方針だ」土屋さんが、河川敷のベンチで私に言った言葉も思い出される。

気づくと、左へと足を踏み出し、出入り口ドアのノブに手を伸ばしていた。ドアには磨りガラスが嵌《はま》っている。手首を回転させ、ノブを捻《ひね》り、ドアを押す。音もなく開く。目の前に、板張りの広い室内が広がっていた。

ためらい、臆したのは一瞬だった。土足のまま、一歩、二歩と前に進む。

集会に参加する者たちは、闖入《ちんにゅう》者たる私のことにはなかなか気づかなかった。まずは、主宰者側の長い机に一列になって座る者の、一番近い位置の男が、私に目を止めた。こちらに顔を向ける。そして、その動作を見たのか、隣の男がこちらに視線を寄越し、それがさらに隣の者の注意を惹《ひ》き、と順番に連鎖するように全員が、私を見つめ、最後に、マイクを持って立っている青年が言葉を止め、私に目を向けた。

直後、パイプ椅子の参加者たちが一斉に、こちらを見た。

全員が見つめてくる。視線の矢が突き刺さり、一瞬身動きが取れなくなる感覚があったのだけれど、私はぶるっと胴を揺すり、その見えない矢を身体から振るい落とした。すっと息を吸うと、久しく出していない大声で、「華子」と妻の名前を呼んだ。「華子ー、帰ろうー」と。

8

修ちゃん、何事かと思っちゃったよ、と華子は、横を歩きながら笑った。日が暮れはじめていた。空は薄暗くなり、星もちらちら見えた。数年前までは、夜ともなると物騒な者たちが蠢きはじめ、誰もが息を潜めていたのだけれど、最近は、すっかり穏やかになり、睡眠と休息のための、本来の夜の静寂さが広がっている。

「何事かと思ったのは、僕のほうだ」

市民センターの小ホールで声を張り上げ、妻を呼ぶと、パイプ椅子の集団から華子がすっくと立ち上がり、「あれ、修ちゃん」と目を丸くしつつも、手を振った。のんびりした様子に拍子抜けした。私について彼女も外に出てきた。

「いいの？」と聞き返してしまった。

「何が？」

「あの集会、抜け出してきてさ」

「平気平気。実はね、藤森さんが、前からあのグループに興味があるみたいだから、付き合ってみたんだけど、よく分かんないんだよね。退屈だったし、うん、いいの」

「あれは、何の集まりなんだ？」

「何だろね」彼女はいつの間にか持っていた木の枝を指揮棒のように振っていた。「いかにも胡散《うさん》臭いけど、でも、みんな真剣なんだよね」

「良かったよ」

「良かった？」

「華子があありうのにのめり込んでいると思ったら、怖くてさ」

公園を通り過ぎ、ゆったりとした勾配《こうばい》の道を上っていく。緩やかに蛇行した先に、私たちの住むマンションがある。十階建ての縦長の建物は古めかしかったけれど、清潔感は残っていた。

「修ちゃん、わたし、思ったんだけどね」華子が口を開いたのは、マンション前の花壇脇を通ったところだった。「生き残るっていうのはさ、あんな風に理路整然とさ、『選ぶ』とか、『選ばれる条件』とか、そういうんじゃなくて、もっと必死なもののような気がするんだ」

「必死なもの？」

「じたばたして、足掻《あが》いて、もがいて。生き残るのってそういうのだよ、きっとさ」

ああ、と零《こぼ》した私の念頭にあったのは、やはり蔦原から聞いた彼の父の話や、落ち着き払った土屋さんの横顔だった。「その通りだよ、たぶん」と私は、華子に同意した。

時間はまだ七時過ぎだったが、未来がきっと待ちくたびれているだろうと、私は足早だった。マンションの、自分の部屋を見上げる。五階の端だ。ベランダに人影があり、目を凝らすと、父と未来が並んで立っているのが分かった。華子もほぼ同時に気づいたようで立ち止まると、右手を挙げた。「ただいまー」と小さな声で言っている。

私も手を挙げようとしたが、そこで、他の部屋のベランダに目がいき、あちらこちらに人の姿があることに気づいた。一つ上の六階にいるのは、桜庭夫妻だ。臨月の夫人のお腹はずいぶんと大きくなっていて、桜庭さんが彼女の肩をマッサージしながら、空を見上げている。さらに三階に目を落とすと、若い男女が立っていた。手すりに寄りかかり、空を見ている。両親を亡くした女の子で、最近になってよく顔を合わせるが、隣の優男《やさおとこ》は見たことがない。

「香取さんのところ、娘さん帰ってきたんだねー」やはり各階のベランダを眺めていたらしく、華子が隣で言った。「四階の」と付け足すので、私も視線を移動させた。老夫婦がいた。私と同じ年齢くらいの女性も立っている。「娘さんなんだ?」

「あまり会う機会がないって言ってたけど」華子が言っているうちに、その室内からさらに、子供を抱えた男性が姿を現わした。娘夫婦が子連れで遊びに来たのかもしれない。

「みんな、ベランダに出て、どうしたんだろう」私は、彼らの目線を追うように、背後の空を振り返った。広々とした空だった。白く、うっすらと照る星があるものの、取り立てて目立つ光があるわけでもない。月の姿が見事、ということもなかった。

「特に、何もないね」華子も言った。「ただ単に、空を見たくなったのかなあ」

「こっちに向かってくる小惑星の気配に気づいた、とかそういうんじゃないのかな」

「修ちゃん、怖いこと言わないでよー」

「ママー」と声がした。五階にいる未来が、私たちを見つけてくれたらしい。各階のベランダにいる住人たちがそこで眼下の私たちに気づいたらしく、それぞれがそれぞれの手すりの前で、ほぼ同時に挨拶をしてくる。

9

夜が明け、朝が来ると、「まだ世界はつづいているんだな」と思う。安心するのではない、ただそう思うのだ。とりあえず、まだ、と。今日も同じ思いで、窓から射し込む陽射しを受けた。

食パンだけの朝食を終えると父はすぐに屋上へと向かった。よく飽きないね、と華子が笑い、私は、「勤勉というか何というか」と答えたけれど、そこでふと、「僕たちも屋上へ行ってみようか」と提案した。

華子はすぐに、うん行こう、とエプロンを外し、未来も、「屋上屋上」と嬉しそうに声を上げる。

「どうだ、高《たけ》えだろ」おっかなびっくりではあったけれど、櫓に登った私に、父が声を落とした。彼はすでに頂《いただき》に到達し、足場に座っていた。こちらを覗き込んでいる。「ここは一人しか座れないからな」と言うので私は櫓の脚の部分にしがみつき、そこから景色を眺めた。「思ったよりも高い」

「右手が海だろ」父が言う。

首を捻れば、街並みのずっと奥に、空とも地面とも色の異なる海が広がっている。

「あんな遠くから、洪水がここまで来るのかな」果てしない距離があるように見えた。

「この櫓から、呑み込まれていく街を見物するのは気分いいぞ」

「いいわけないよ」私は少しずつ下へと降りていく。足場を確認し、屋上の床面に降り立つと、ほっとした。

「パパ、わたしも登る」と未来が寄ってきた。彼女を抱きかかえ、肩車をする。「もっと高く」と未来は不満そうだ。

「どうだった？」華子が言ってくるので、「案外、頑丈そうだ」と私は答えた。

もう一度、櫓を見上げた。高電圧の鉄塔とまではいかないが、それでも立派な塔だった。周囲を監視する見張り台のようでもあったし、警報を鳴らす警鐘櫓にも見える。もし洪水が起きれば、ここは深海に沈んだ塔や柱のようになるのかもしれない。

「よくできてるだろ。な？　な？」降りてきた父が誇らしげに、唾《つば》を飛ばしてくる。

「まあね。よくもまあ、こんなものを」

「希望するなら、おまえたちの座るところも作ってやるぞ」

遠慮する、といつもであれば一笑に付すのに、なぜか私は、「そうしてもらおうかな」と応えていて、自分でも驚いた。

「お、いいのか」

「そうだね、三人分。僕と華子と未来の座る場所、それから梯子もつけてよ」

父は自分の作業が増えたことが嬉しいのか、髭を生やした口の両端を吊り上げた。

「腕が鳴る」

「修ちゃん、じゃあ、最後の時って、ここに座るんだ？　わたしたちって」華子が愉快げに言って、櫓を指差した。

「そうかも」

私は、まだ小惑星が落ちない可能性も捨ててはいなかった。何もかもが嘘で、もしくは誰かの計算ミスで、取り返しのつかない混乱はあったものの、どうにか地球は壊れないで、私たちも生活をつづけられるのではないか、と甘く考えてもいた。

ただ、もし本当に世界の終わりがやってきて、万策尽きた時にはこの屋上の、この櫓に登ろう、とそう心に決めた。

その時の私たちはおそらく、今のように落ち着き払ってなどはいないだろう。怯え、恐怖で脚がすくみ、心は乱れ、櫓の梯子もろくに登れないかもしれない。

けれど、きっと私と華子は、そして父は、死に物狂いで櫓に攀《よ》じ登るに違いない。周囲を呑み込む洪水の迫力と速度に青ざめ、絶望に窒息しそうになりながらも、娘を抱えて、上へ上へと進んでいくだろう。それは確かだ。

まわりの水位が上がってくるのであれば、この建物が深海に沈むのであれば、その水面よりも一センチでも一ミリでも高い場所に未来を逃がそうと、櫓から手を伸ばし、背伸びをするはずだ。他の誰かが助けを求めてくるのを蹴落とすかもしれない。とにかく未来を、私たちの未来を、一分でも一秒でも長く生かすために、なりふり構わず腕を伸ばす。きっとそうだ。

みっともなくて、見るに耐えない必死さだろうな、と思ったところで私は、自分の肩から下がる娘の脚をぽんぽんと叩いた。「じたばたするけど、許してくれよな」と言う。

それが耳に入ったのか華子が、私の想像を察したかのように、「じたばたするよねえ、きっと」と言った。

「修一」と父が、私の横に立った。「昔、おまえが死にたいって言った時、山の頂上に登れば景色はきっと格別だ、と俺が言ったのを覚えているか」

「あれはかなり偉そうだった」

「俺が見せられるのは、この櫓からの景色が精一杯だ」

「いいよ」

屋上のフェンスに近づき、マンションの外に目をやる。格子状の網から見える街並みは、落ち着き払っている。華子も横に並んだ。

ずっと遠方に、公園の脇の道を、軽快に走る男たちの姿が目に入った。半袖《はんそで》のシャツに丈の短いパンツを穿いた、格闘家然とした男が、二人だ。立ち止まると身体を揺すり、今度は腕や脚を激しく、揺すりはじめた。距離は離れているが私には、その二人の身体から眩《まぶ》しいくらいの熱気が発散されているのが分かった。汗が飛び散るのすら、把握できるかのようだ。美しい、と思い、それから、強い、と感じた。トレーニングなのか、健康維持のためなのか分からないが、黙々と身体を動かす男二人の姿は永遠にあそこで運動しつづけているかのような、力強さを伴っていた。

やがて、二人は家の陰へと消えていってしまい、見惚《みと》れていた私は、ああ、と物寂しい思いにとらわれる。

「死んでも死なない、死んでも死なない」と私の肩に乗った未来が、唐突に口ずさんだ。

私はもう一度、首を傾け、手作りながら丁寧にロープが巻かれた頑丈そうなその櫓に感心し、その後で、華子の肩に手をやり、引き寄せる。

謝辞

東北大学大学院理学研究科にいらした土佐誠さん（現・仙台市天文台長）、仙台市天文台の小石川正弘さんには、お忙しいところ、時間を割いていただきました。興味深い話をたくさん伺うことができ、感謝しております。小石川さんに至っては、ご自宅の庭の望遠鏡まで見させていただきました。本当にありがとうございます。

取材の最中、「小惑星の大半は軌道が把握されていて、衝突する可能性のものはほとんどない」「八年も前に、衝突を宣言することは難しい」「小惑星よりも彗星のほうが可能性はあるかもしれない」などなど様々な、ご意見をいただきました。にもかかわらず、この物語にでたらめが多いのは、「フィクションは嘘が多くても、楽しい」と考える僕自身の考えによるものです。お二方には当然ながら非はありませんし、読者の方も、「この小説に書かれている、小惑星衝突の情報は正しいのだな」と誤解されることがないように、と思っています。

仙台市在住の詩人で、親しくしてくださっている武田こうじさんから詩を聞かせていただいたお話も作品に反映させていただきました。ありがとうございます。

また、「鋼鉄のウール」の物語は、別の作品の取材で訪れた、キックボクシングジム、治政館での見学から生まれています。鬼気迫る練習光景と、長江国政館長と武田幸三さんとのやり取り、可笑しさと厳しさのまざった武田さん本人の魅力が頭から離れず、「世界が終わりになっても、あの人たちは練習しているかもしれない」「あの人たちを元にした話を書きたい」と考えずにはいられませんでした。もし仮に、この短編に出てくる苗場という男を気に入ってくださる方がいるのだとすれば、それは僕の見た武田幸三という人が魅力的だったからだ、と思っていただければ幸いです。治政館の方々、ジムを紹介してくださった写真家の藤里一郎氏に感謝しております。

解説

吉野仁

人生、いかに生きるか。

あまりに深い問題である。まだ人生を歩きはじめたばかりの若い頃はもちろんのこと、ただ歳を重ねたからといって、答えが見つかるわけではない。幾つになっても迷いの道をさまようばかり。

そこで、ある高名な思想家は、「生」を問うために「死」をもってくるという方法を述べていた。生のあり方を見いだすために死を道具にするという。

この話から、ふと連想したのは、スイカやトマトに塩をかけて食べるという行為である。そうする人が少なからずいる。塩をかけると甘くなる。おかしな話だ。甘くしたいなら、砂糖を加えればいい。ではなぜ果物や野菜に塩をかけると甘みを感じるのか。どうやら人の味覚というのは、ただ甘いものだけがそこにあるよりも、ちょっとだけ塩っ気があるほうが甘さを感じやすいようにできているらしい。味が引き立つのだ。もしかすると、精製された食塩よりも、不純物の混ざった天然の塩をふりかけたほうがより旨味を覚えるかもしれない。じつはこれ、料理における「隠し味」の原理である。

　もしくは、夕陽が大きく見える、という話。空に浮かぶ太陽は、夕暮れに西の地平線へ沈もうとしているときのほうが日中よりも大きく感じられる。これは、山々やビルなど大きさを比較する対象があるからだと言われている。太陽そのものは当然いつも同じ大きさである。しかし昼間はその周りになにもない。ところが地平に沈みかけると対象物に囲まれる。だから、夕陽は大きく見えるというのだ。

　大きさだけではなく形や色なども周囲との関係で錯覚を起こす場合がある。視覚、味覚といった人間の官能は、単体そのままの実物を正しくとらえているとはかぎらないのだ。おそらく思考というのも、それと似ているのではないだろうか。「生きるとはなにか」という問いをいきなりぽんと与えられても、あまりに漠然としすぎていて答えようがない。

　もともと人は生きている。かけがえのない人生を生きている。なにも大仰に「人生、いかに生きるか」などという難しいことを問いかけなくとも、普通にしていれば日々はすぎていく。生はそこにある。むしろ、下手に正面から向き合って取り組もうとすると、悩んだあげく、答えが見つからずに自殺する、なんて洒落《しゃれ》にもならないことをしでかすかもしれない。だからといって、ただ何も考えずに漫然としていていいのだろうか。このままでは同じことの繰り返しで一生が終わってしまう。

ところが、対極にある「死」をすぐ隣にもってくることにより、つかみどころのない「生」の姿がすこしは明確になってくるのかもしれない。死を道具（ツール）にするとは、ちょうどスイカやトマトを甘く感じさせる塩や、夕陽を大きく見せる山々やビルのような働きを「死」に求めるということである。

さて、すでにおわかりのように、八つの短編が収められた伊坂幸太郎『終末のフール』は、終末＝この世の終わりが訪れる、という形が基本設定として導入されており、本作に登場する人たちは、みなすぐ隣に「死」が置かれた状況で生きている。すなわち、「生」というものが、はっきりと強く迫ってくる構造になっているのだ。物語られているのは、作者ならではの「超現実」である。

八年後に小惑星が地球に衝突して人類が滅亡するという情報が発表され、その五年後の世界。舞台は、伊坂ワールドでおなじみの街、仙台で、その北部にある団地、ヒルズタウンの住人が一話ごとに登場する。

科学的にありえるかどうかは別にして、あと三年でみんな死んでしまう世界に人はどう生きていくのだろうか、というのが基本設定だ。かなり突飛な話。ＳＦといってもいい。

まず本作を読んで思い出したのは、伊坂氏のデビュー作『オーデュボンの祈り』（新潮文庫）のカカシである。未来を予言できるカカシ。なのに自分が殺されるということを知っていながらなぜそのまま死んでしまったのか。ここで扱われていたのは「死」と「運命」だ。これは、伊坂幸太郎の一大テーマといっていいのかもしれない。たとえば、映画にもなった『死神の精度』（文春文庫）も同様の主題によるものである。

本作が発表されたときの作者インタビュー（「青春と読書」二〇〇六年四月号）によると、伊坂氏は「どんな悲惨な状況であっても人はそれでも生きていく」ということを書きたかったと語っていた。

最初のアイデアのもとは、担当の編集者から、キェシロフスキのテレビドラマ『デカローグ』みたいなものをやりませんか、と言われたからだという。『デカローグ』とは、旧約聖書の十戒をモチーフにした連続ドラマ。どこにでもありそうな郊外の団地の住民を描いた作品で、毎回それぞれの話の主人公ばかりか、スタイルも異なる十の物語が並んでいる。

その発想をベースに「終末が来る」という設定を加え、「それでも生きていかなきゃいけない人たち」を描いたのだ。

また、あらかじめエンディングの話の内容だけは決まっていたらしい。「世界の終わりに、レンタルビデオの延滞料金を回収しに行く」というもの。もっとも、具体的にどうしめくくるかは、書きはじめるまで定まっていなかったようだ。そこで伊坂氏は、芥川龍之介の「蜘蛛の糸」のイメージを思い浮かべたという。そのあたりをもうすこし詳しく引用してみよう。

たとえ醜くても、他人を蹴落としてでも懸命に生き続けるというイメージですね。最後の話で書きましたが、子供から自殺して何が悪いんだといわれたときに、親は何がいえるのか。自殺しないほうがいいよとか、誰かが悲しむとかいったとしても、じゃあ悲しむ人がいなければいいのかということになると、また違う議論になってしまう。そのとき、「死に物狂いで生きるのは、権利じゃなくて、義務だ」といいきっちゃうことが、こういう設定ならば説得力があるような気がしたんですよね。無茶苦茶ですけど。

終末だけど幸せだよねというのでもないし、つらいけどみんな頑張っていこうというのとも違う、それらすべてを除外したラストというものをどうにか見つけようとしていたときに、「蜘蛛の糸」のカンダタの姿が思い浮かんで、そこで物語のベクトルが見えたんです。

さらに「終末」ということに関して、次のようにも述べている。

この二十世紀末にも終末論的な思想が出てきましたが、それを越えて二十一世紀になったら何か変わるんじゃないかとみんな思っていた。ところが実際には、変わるというのではなくて、単にだらだらと下がってきているだけという状況です。だらだらと下がってくるものは急には変わらないから、そこで、諦観、あきらめとかも出てくる。

それから、全体的にどこか高をくっているような雰囲気もありますね。変な話、僕自身も含めて、みんな当然死ぬはずなのに、どこかで死なないんじゃないかと高をくっているような怖さを感じる。そういう怖さを感じていたからだと思いますが、三年後には確実に死ぬという世界を描くということは、割と自然に出てきたところがあります。

（中略）

小惑星が落ちてくる、そして、それが八年前に予告されるという設定自体は決してリアリティがあるものではありませんが、冷静に想像して八年というスパンをとらえてみると、パニックから五年が経ち、あと三年で終末を迎えますといわれたときに、妙に落ち着いて淡々として生きる状態が一年くらいあるというのは、現実的に考えられなくもない状況のような気がする。

現実とぴったりとは重なっていないけれども、ズレながら重なっているというのがフィクションのいいところだと思います。

冒頭で紹介した、「死」から「生」を理解する、とは、吉本隆明『『生きること』と『死ぬこと』』（『言葉という思想』弓立社）に書かれていた話なのだが、そのなかで吉本氏は、E・キューブラー・ロス『死ぬ瞬間─死とその過程について』（中公文庫）という本を取り上げていた。精神科医であるロスは、二百人におよぶ末期患者に直接インタビューし、〝死に至る〟人間の心の動きを明らかにした。ほとんどの人は、五つの段階を経るという。まもなく死ぬことが信じられず（否認）、なぜ自分が死ななければならないのかという怒りを周囲にむけ（怒り）、次にどうにか生き続けることはできないかと何かにすがろうとした（取り引き）のち、死という現実の前になにもできなくなり（抑鬱）、最後にはそれを受け入れる（受容）、というプロセスである。

まさに、この『終末のフール』には、終末を知らされ誰もが自暴自棄になったりパニックになったりした時期をすぎて、ようやくその現実を受け入れてきたという、〝死に至る〟心理の過程をたどったことがしっかりと背景に書かれている。吉本氏によると、多くの文学作品は、この五つの段階が見られるという。五つのうちのいくつかは省略してあったり、逆説的に抜かれていたりする場合も含め筋書きや心の動きなどに表れているのだ。

すなわち、小惑星が地球にぶつかるという設定が奇想天外すぎるというのなら、病などで余命わずかという状況を思い浮かべればいい。テレビ番組ではしばしば、末期患者のドキュメンタリーが放送され、その限られた人生を必死で生きる姿に心を打たれることがある。しかし、すでに難病や恋人の死を描いた小説というようなものは山ほど書かれている。むしろSF的な発想やどこかとぼけたユーモアが漂っているからこそ、死の悲哀や生の賛歌が単純で安易なものにとどまらず、心に響く物語になっているのではないか。錯覚を起こしやすい人間の五感でとらえている現実よりも確かで本当らしい世界。

また、別のインタビューで伊坂氏は、作家の伊集院静氏と会ったとき「小説は、哀しみを抱えている人に寄り添うものなんだ」と言われた話を持ち出していた。この『終末のフール』では、やがて訪れる終末に対する主人公の姿勢のみならず、家族や周囲の人の死を受け止められずにいる人たちの姿に随所で触れている。葛藤と思いやりが意外な展開で融和していくのだ。どこか、しみじみした味わいがあるのも、本作の特徴である。

個々の作品に詳しく触れるスペースはないが、かつて「小説すばる」誌（二〇〇六年四月号）の特集「伊坂幸太郎解体全書」で、誕生するまでの背景を一編ごとに作者本人が「創作秘話」として語っていた。たとえば担当編集者の意見がそれぞれの短編に大きく取り入れられているようだ。まず第一話「終末のフール」は、「ミステリーじゃないものを」と依頼されて生まれたという。また、連載当初から「恋愛の話を入れましょう」ということでできたのが「冬眠のガール」。さらに「演劇のオール」は「疑似家族の話を」という要望から。

伊坂氏は、最初にミステリーじゃないものを、と依頼されて「いったいミステリーじゃないものって何だろう」とかなり悩んだ末に「伏線も何もなくて、唐突に結末がやってきたら、ミステリーじゃないかもしれない」と乱暴な結論にたどり着き、書きあげたという。もっともずいぶん経ってから「どうして、ミステリーは駄目だったんですか？」と担当者に訊ねたところ、あまり深い意味はなかったことを知り、ひどく驚いたそうな。

このように、さまざまな発想や意見などをもとにして本作はできあがっているのだ。

そのほか、一見しておわかりのとおり、収められた八つの作品のタイトルには「フール」「シール」「ビール」というように「○ール」の言葉が（ときに強引に？）つけられていたり、ある話で主役になっていた人物が別の話でひょっこり顔を出していたりしている。これもまた旨味を引き出す絶妙な「隠し味」のひとつといえよう。こうして細部にわたる伊坂ワールドの楽しさを語りはじめるときりがない。

人はいかに生きるべきか。『終末のフール』に描かれているのは、〝人生のルール〟だ。どんなに悲惨だったり希望がない状況だったりしても、しっかりと強く生きるための、そして哀しみを抱えている人に寄り添うための〝人生のルール〟。あと三年の命と告げられようと、それでも人は生きていく。豊潤な人生（ラッシュライフ）を求めて。

初出誌「小説すばる」
「終末のフール」　二〇〇四年二月号
「太陽のシール」　二〇〇四年五月号
「籠城のビール」　二〇〇四年八月号
「冬眠のガール」　二〇〇四年一一月号
「鋼鉄のウール」　二〇〇五年二月号
「天体のヨール」　二〇〇五年五月号
「演劇のオール」　二〇〇五年八月号
「深海のポール」　二〇〇五年一一月号

この作品は二〇〇六年三月、集英社より刊行されました。

本文デザイン・緒方修一

集英社文庫

終末《しゅうまつ》のフール

2009年6月30日　第1刷　　定価はカバーに表示してあります。
2022年6月6日　第30刷

著　者　伊坂幸太郎《いさかこうたろう》

発行者　徳永　真

発行所　株式会社　集英社
東京都千代田区一ツ橋2-5-10　〒101-8050
電話　【編集部】03-3230-6095
【読者係】03-3230-6080
【販売部】03-3230-6393(書店専用)

印　刷　凸版印刷株式会社

製　本　凸版印刷株式会社

フォーマットデザイン　アリヤマデザインストア　　マークデザイン　居山浩二

ISBN978-4-08-746443-6 C0193